新版・敬天愛人

ゼロからの挑戦

Kazuo Inamori
稲盛　和夫

PHP
Business Shinsho

PHPビジネス新書

はじめに

京セラを一九五九年に創業してから、はや半世紀以上が過ぎた。

初年度の売り上げは約二六〇〇万円でしかなかったが、二〇一二年三月期には一兆二〇〇〇億円に迫る。その間、通期で一度の赤字も計上することがなかっただけでなく、利益率は売り上げが一兆円を超えた今も、一〇%ほどを確保している。

このような成長性と高い収益性を、半世紀以上もの長きにわたり維持し続けている企業は、日本の産業史をひもといてみても、希有なことではなかろうか。

道程《みちのり》は、決して平坦なものではなかった。

ニクソンショックを受けた円の変動相場制への移行、石油ショックによる空前の不況、半導体・自動車分野での熾烈な日米貿易摩擦、プラザ合意後の急激な円高、バブル崩壊後の長い景気低迷、リーマンショックによる世界規模の金融不安、さらには近時の欧州諸国の財政危機に端を発した景気後退と、次々に巨大な景気変動の波が日本の産業界を襲った。

多くの企業がその激流の中で翻弄され、衰退し、淘汰されていった。しかし、我々京セラは、景気の波を真正面から受けながらも、成長を続け、収益を上げ続けることができた。

それは、私が自らの経営と人生で苦闘する中で得た考え方とあり方を、いかなる激しい景気変動の渦中にあっても、ただひたすらに貫いてきたからに他ならない。その結果、京セラは想像を超えた成長発展を遂げ、私自身の人生も、思いもかけず開けていったのである。

この本の原著は、そんな私の経営哲学と経営手法を横糸に、京セラの歴史を縦糸として、一九九七年に『敬天愛人』と題し上梓したものである。京セラ発展の軌跡をたどりつつ、私の思想や哲学、経営手法を俯瞰《ふかん》する書として、多くの読者を得た。

このたび、ＰＨＰ研究所から新装版の発刊要請をいただき、読み返してみたが、ここに著した通りに経営を行い、人生を生きていけば、必ず会社は発展し、個人も素晴らしい人生を送ることができるのではないかと、改めて強く感じた。また、その意味で誤解を恐れず申し上げれば、本書は「成功の方程式」を記した、経営や人生のバイブルとでも言うべきものであろうと考えている。


新装版の発刊に当たっては、旧来の本文について、その内容やデータをすべて見直すとともに、「その後の私の歩み」を加筆することにした。

なぜなら、『敬天愛人』発刊後の一五年間に、私はＫＤＤＩ設立や旧三田工業の救済に携わった。また現在、日本航空の再建に注力している。さらには、そのようなスケジュールの合間を縫い、稲盛財団の各種活動や盛和塾活動にも取り組んでいる。そのような近年の私の動きを紹介することで、読者の皆様に、「成功の方程式」をより明確に理解いただけるのではないかと考えたからである。
結果、本書の半分以上が新原稿となり、まったく別の書籍になったと言っても過言ではない。そのため、編集部の要請に従い、タイトルを『ゼロからの挑戦』と改めさせていただくことにした。

振り返ってみれば、確かに私の経営と人生は、すべからくそうであったように思う。閉塞感、停滞感が叫ばれる現在、「ゼロからの挑戦」を説く本書が、一人でも多くの読者の皆様のお手元に届き、その経営と人生をさらに豊かで実り多いものにするのみならず、日本の社会や経済が再生を果たす一助となることを、著者として願ってやまない。

二〇一二年　盛夏

稲盛和夫

新版・敬天愛人

ゼロからの挑戦

目次

3 原理原則を貫く経営 …… 42

第二部 「フィロソフィ」の根底にあるもの1
——稲盛和夫の思想——

第三部 「フィロソフィ」の根底にあるもの2
――稲盛和夫の思想――

2　世のため人のために尽くす

第一部 「フィロソフィ」をベースにする

――稲盛和夫の経営――

滋賀工場設立間もない頃、裏山で野外すき焼きパーティーを開催する（右端が著者）。

1 「フィロソフィ」が発展をもたらす

事業は限りなく広がる

一九五九年、二七歳のとき、一介のセラミック技術者であった私は、支援してくださる方々もあり、七人の仲間とともに、京都セラミック（京セラの前身）を創業した。以来、京セラを中心とする企業グループの経営に、私は持てる力のすべてを傾注してきた。

私が経営に携わる企業グループには、京セラ、KDDIがあるが、そのいずれも成長発展を遂げている。

京セラはテレビ用セラミック部品の製造で創業して以来、セラミック技術を核に営々と多角化を進めてきた。現在では、ファインセラミックスを用いた各種部品、デバイスから、ソーラーシステム、さらには携帯電話や複写機などの電子機器までも生産する、総合メーカーに成長している。

また、一九八四年には、日本の通信の自由化に際し、現在のKDDIの前身に当たる第二電電（DDI）を興し、電気通信事業に進出した。現在では、日本第二位の通信事業者として、高収益を維持しつつ成長発展を続けている。

さらには、二〇一〇年二月に、日本政府の要請を受け、ナショナルフラッグキャリアである日本航空（JAL）の会長に就任し、以来、その再建に努めてきた。二〇一一年三月に終了した新生JALの初年度は、創業以来の好決算となり、世界にあまたある航空会社の中で、最高の業績を上げることができた。

「人間として何が正しいのか」ということを判断基準として、社員と一緒に懸命に働き続けた結果、私が経営に携わる企業グループは、このような素晴らしい発展を遂げている。

徒手空拳で京セラを創業した一九五九年に、今日の状況を予想することは誰にもできなかった。なぜ零細企業であった京セラが、困難な経営環境を乗り越え、今日まで発展拡大を続けることができたのか。

実践から生まれた「フィロソフィ」

私は、経営や人生の局面において、壁に突き当たり、悩みもがき苦しむとき、そのつど人間として何が正しいかという原点に立ち返ってものごとを考え、その原則に従って行動してきた。ところがその日々の集積は、いつの間にか信じられないような成果をもたらしてくれたのである。

集団が機能し、成果を生み出すためには、そのめざすべき方向が明確であり、その方向に集団を構成する全員のベクトルを合わせなければならない。企業であれば、ベクトルを合わせるのは、経営理念や社是と呼ばれる規範である。そして、そのベースには、根幹となる考え方あるいは哲学が存在しなくてはならない。私は、創業間もない頃から、一日一日を懸命に生きる中で学んだものを折に触れまとめて、「京セラフィロソフィ」として、全社員で共有するように努めてきた。

それは、人として生きるうえでの基本的な考え方、換言すれば「人間として正しいことを正しいままに追求する」ということをベースとしている。

このような「フィロソフィ」は、一見企業経営にとって無縁なものに映るかもしれない。しかし、私は人間のあるべき姿を追求することにより、経営の拠って立つべき座標軸も明らかになると信じている。経営というものは、経営者の人格の投影でしかあり得ない。そのため、人間として正しい判断基準を持てば、それは必ず経営の実践の場においても有効に機能するはずである。

経営に携わる多忙な日々、その実践の中で、私が考え、最も大切なことがらであると考えていることについて、以下述べていきたい。

2　「人の心」をベースにする経営

パートナーシップで創業

京セラは、私一人で自己資金を投じて創業した企業ではない。最初に就職した会社で、私は上司と意見が合わず、会社を辞めることになった。そのとき私を信用し、会社をつくってくださる方が現れた。また、そのような私を信じ、ついていきたいという七名の同志がいた。このような心と心で結ばれたパートナーシップで創業したため、最初から人と人との心の結びつきを、最も大切にするという企業風土ができていた。

私が裕福で、潤沢な資金を持って会社を設立し、社員を雇用したのであれば、会社の形態や従業員との関係も変わっていたであろう。しかし幸か不幸か、人、物、金の経営資源をまったく持たない、ゼロからの創業であったため、従業員相互の心の絆を大切にして経営を行なうしか方法はなかったのである。

赤字続きの会社に就職

私は、一九五五年に鹿児島大学工学部応用化学科を卒業して、松風《しょうふう》工業という、京都にある高圧電線向けの碍子《がいし》を製造するメーカーに、技術者として就職した。碍子とは、電線を絶縁するために電信柱などの構造物に取りつける、主に磁器でつくられた器具のことを言い、松風工業は一九一七年の設立以来、この高圧碍子の世界では老舗の会社の一つであった。私は研究課に配属され、ニューセラミックスの研究開発に携わることになった。

ここで、セラミックスという語について説明しておきたい。

セラミックスの語源は、ギリシャ語に端を発する。動物の角の形状に土でつくった容器をケラミオン（KERAMION）、そしてこの容器をつくる技術をケラメイア（KERAMEIA）と言う。これらの言葉から、ドイツ語のケラミック（KERAMIK）、英語のセラミックス（CERAMICS）に派生したと言われている。

セラミックスの定義は、学説によると、「無機材料で、製造工程において、高温処理を受けたもの」とされている。これに従えば、陶磁器だけでなく、ガラス、セメント、レンガ、ホーローなどもその範疇《はんちゅう》に収まってしまう。通常私たちは、セラミックスという言葉を、もう少し狭い意味で使っている。

当時、特に高い性能と寸法精度を持つものを特殊磁器と呼んでいた。しかし私は、従来の碍子などとは違い、材料に粘土など天然材料をそのまま用いず、人工的に合成または精製されたものを使用する特殊磁器を、ニューセラミックスと呼ぶようにした。

話を戻したい。松風工業に入社して初めて分かったことだが、会社は赤字経営で、金融機関から支援を受けてようやく持ちこたえている状況であった。給料も遅配続きで、会社や自分の将来などとても期待できそうもなかった。

同期の仲間も一人去り二人去りしていき、私もそんな会社に見切りをつけ、残る同期の者と一緒に自衛隊の幹部候補生募集に応募し、実際に試験を受け、合格した。しかし、結局入隊手続きに当たり戸籍謄本が郷里から届かず、また兄の強い反対もあり、松風工業に留まることになった。

退路を断たれた私は、ここで腹を決めた。たとえ働く環境が悪かろうとも、自分の運命をその傾きかけた会社で切り開いていかざるを得ない。私は、気持ちを切り替え、全力を挙げて研究開発に取り組むことにした。

そうすると、面白いことに研究開発の成果が上がり始めた。周囲からほめられるものだから、意欲が出てさらに打ち込む。また上司や先輩からほめられ、意欲が倍加し、昼夜を忘れてさらに仕事に打ち込んでいく。というように、まさに好循環のサイクルが自分を取り巻いていった。

新しいセラミック材料を開発

そして、一九五六年初めに、フォルステライトという新しいセラミック材料を開発し、これを用いて松下電子工業（現パナソニック）向けのU字ケルシマという、テレビのブラウン管用の絶縁部品を開発することに成功した。当時、この製品はオランダのフィリップス社しか量産ができないほど難しい製品であった。

折から、日本はテレビブームでU字ケルシマの需要は高く、早速量産に移行することになり、私はこの製造も担当することとなった。そこでも、電気トンネル窯という製造設備を考案し、導入を図るなど、当時、特殊磁器と呼ばれていた、ニューセラミックスの開発および製造に全面的に携わることになった。

再建途上の赤字会社であったが、このU字ケルシマを生産する特磁課（研究課から独立）だけは例外で、唯一の収益部門であった。そのため増員が認められたが、私は社内異動による増員を良しとしなかった。なぜなら、給料の遅配もあるような赤字続きの会社であったため、従業員のモラルは地に落ち、残業代稼ぎに汲々としている者が他の職場には多かったからである。

そのような人を自分たちの部署に迎え入れることは、明確な目標のもとに、懸命な努力を続けている職場の風土や団結を崩しかねない。一介の社員でしかない私であったが、そのように考え、京都の七条にあった職業安定所に自ら足を運び、人間性の良さそうな人を選んで採用した。このようなことが赤字会社の中で認められるほど、ニューセラミックスを扱う私の部署の業績は著しく良かったのである。

松下電子工業向けの納品も次第に増加し、月二～三万本の受注をいただけるようになったが、生産は遅れがちであった。そのため、部署の全員が寝食を忘れて増産に取り組み、五〇〇本、一〇〇〇本と、毎日できた量だけ納品していた。

ストライキ破りをして生産を続行

そのようなとき、松風工業は、春の賃上げ交渉が労使間で決裂し、従業員組合がストライキに入ることになった。しかし私は、納品を待ちわびるお客様に迷惑をかけることはできないとの責任感から、自発的にストライキ破りを決意した。私の職場の全員が工場の中に籠城し、鍋や釜まで持ち込み、食事も製造現場でとりながら、組合のストライキ中にもかかわらず、松下電子工業向けのU字ケルシマの生産を続行した。組合員がピケを張る中、製品の運び出しに当たっては、女子研究員にこっそり持ち出してもらうような工夫もしながら、お客様にだけは迷惑をかけないように配慮した。

後日談だが、その折に対立した、松風工業の従業員組合の委員長（当時）が、一九九七年、『京都新聞』の投稿欄に一文を寄せられた。

「拝啓　稲盛京セラ会長さま。覚えておられますか」という書き出しで始まり、私が新製品開発のために時間外手当もなしに徹夜で働いていたことや、会社を辞めるときのエピソードなどを紹介され、そして最後に「社会に新風を吹き込んでほしい」と文章を結んでおられた。

私も返信という形で同紙に投稿を行ない、謝意を表させていただいたが、かつて鋭く対立したこともある組合委員長と、およそ四〇年を経過して紙面を通じて旧交を温め合うことができたことを、本当に嬉しく思った。

退社を決意

さて二七歳の頃、私は特磁課主任という立場でしかないにもかかわらず、ニューセラミックスの開発を会社の中心になって進めていた。また、自分の開発した製品については、生産、販売まで担当するなど、枠にとらわれず全力を挙げて仕事に取り組んでいた。

そのような取り組みを続ける中で、日立製作所からセラミック真空管の開発依頼を受けた。私は自分で開発したフォルステライトという材料をベースに開発に取り組んだものの、なかなか満足するものはできなかった。

そんなとき、社外から突然やってきた技術部長が、過去の経緯も知らず、「君たちは、そこまでで引き取ってくれ。後は私がやる」と言い放った。それを聞き、私は即座に松風工業を退社することを決断し、辞表を提出した。会社からは慰留されたが、私は全身全霊を挙げて開発に取り組んできた自分たちをないがしろにするかのような発言を許すことはできなかった。

そのとき、かねてから夢であった、自らの技術を試すために海外へ行くことも考えた。しかし、苦楽をともにした部下や後輩が「一緒に退社する」と言ってきた。また、部下や後輩に留まらず、先輩や上司までもが、「ついていきたい」と言い出した。

そして、決意新たに一同が集まり、「全員の幸せと世のため人のため、一致協力し、喜びも悲しみもともにし、頑張ろう」と誓い合い、新しく自分たちの会社をつくることにした。その思いを誓詞血判状にしたためることで確認もし合った。多少時代がかってはいたが、実際私たちの心境はそれほど高ぶっていたのである。

そのときみんなが、うまくいかないときはアルバイトでもして、私の研究を支えていこうと言ってくれたことを今でも嬉しく、また懐かしく思い出す。

従業員一人ひとりがオーナー

さて、いざ会社設立となっても、自分たちが資金を持っているわけではない。新会社の構想を固める傍ら、まずはスポンサー探しに奔走することとなった。

松風工業時代に私の上司であった青山政次《あおやままさじ》氏は、私と同時期に松風工業を退社し、新会社設立に参加することになった。青山氏の京都大学工学部電気工学科の同級生に、西枝一江《にしえだいちえ》氏と交川有《まじかわたもつ》氏がおられた。

西枝氏は、弁理士出身で、当時京都にある電気開閉器や配電盤を製造していた宮木電機の専務に就任されていた。交川氏は、特許庁出身で、同様に宮木電機の常務に就かれていた。青山氏の相談を受けた西枝、交川の両氏は、まず私と会って話をお聞きいただいたうえで、宮木電機の宮木男也社長を口説いてくださり、最終的にはこの三人を中心に出資していただくことになった。

私には経営の実績もないし、将来に確たる成算があったわけではない。そのような私に、西枝氏は「あなたには見どころがありそうな気がする。また、あなたはフィロソフィを持っているようなので、それを見込んで出資する」と言葉をかけてくださった。

また、西枝氏は私に「お金に使われてはいけない。また、従業員がオーナーでなければいけない」ということを諄々《じゅんじゅん》と説かれた。そして、資金も持たず株式の意味も知らない私に、技術出資という形で設立当初から株を持たせてくださり、いわゆるオーナー経営者としての道を歩ませてくださった。

さらに西枝氏の助言で、新会社は宮木電機の子会社ではなく、独立した会社として設立されることになった。西枝氏は、宮木社長に「稲盛という青年に賭けたのであって、成功するかどうかは分かりません。出資金が戻らないこともありますので覚悟してください」と念を押されていたとも聞いている。

二七歳の若輩者でしかなかった私に、そうまでしてくださった西枝氏の心遣いを、私は本当にありがたく感じた。こうして出資者と私たち創業メンバーとの心の絆をベースとして会社が設立されたため、京セラの風土は自ずから人の心に基盤を置いたものになっていったのである。

こうして、西枝氏はじめ、支援してくださる方々から出資いただいた資本金三〇〇万円と、その方々の尽力で京都銀行から借りることのできた一〇〇〇万円、この合計一三〇〇万円で設備投資から運転資金までの配分を決め、新会社の経営に乗り出すことになった。

最も強固なものは「人の心」

創業時、中学卒の新入社員を二〇名迎え入れたが、入社直後から「こんなできたばかりの会社とは知らなかった」と不満を漏らす者が出てきた。

それというのも、私たちは採用に当たって、京都セラミックとして募集したが、満足な事務所を持たないため、宮木電機の立派な事務所を借りて面接試験をしていたからだ。そのため中学を卒業したばかりの若い人たちは、試験会場を本社と思ったのである。ところが京セラに入社してみると、実際は宮木電機が倉庫に使っていた、木造の古い建物を借りて操業していたものだから、「こんなちっぽけな会社とは知らなかった」と入社した直後から不平不満が首をもたげてきたのだ。

人心をまとめていくということについては、苦労が絶えなかった。そのため、私は「経営において確かなものは何だろうか」ということを絶えず真剣に考えていた。若年で技術者上がりでありながら、経営者としての責任を果たさなければならない私は、経営をやっていく責任の大きさに眠れない夜が続いた。

悩み抜いた末に、「人の心」が一番大事だという結論に至った。歴史をひもとくならば、人の心が偉大なことを成し遂げたという事例は枚挙にいとまがない。たとえば、米国の建国や日本の明治維新は、何も持たない人々の志と団結心が成し遂げたものである。また逆に、人心の荒廃が組織や集団の崩壊を招く遠因となった事例を私たちは数多く知っている。

うつろいやすく不確かなものも人の心なら、ひとたび互いが信じ合い通じ合えば、限りなく強固で信頼に足るもの、それも人の心なのである。

新入社員の連判状

すでに述べたように、京セラ創業当時の私たちには、資金や土地、設備といった企業経営に必要な資源は何もなかった。もちろん、会社の信用や知名度などあるはずがない。このような不利な環境下で京セラが生き延びていくためには、信じ合える仲間をつくり、その心と心の絆に頼るしかなかった。私は、まず自分から社員を信じよう、そして、そのうえで自分自身がみんなから信じられるようになろうと考えた。

企業経営にとって最も大切な要素が、この心をベースとする従業員とのパートナーシップであるということを私に改めて気づかせてくれ、さらに企業経営の目的について問い直すことを私に迫る事件があった。

設立二年目に当たる一九六〇年に、高校卒の新入社員を一〇名ほど採用した。彼らが一年あまり働き、「少し仕事も覚えたかな」と思い始めたときに、私のところへ連判状のような書状を持って、団交を申し入れてきた。

その書状には「将来にわたって、昇給は最低いくらにすること、ボーナスはいくら出すこと」という、待遇保証を求める要求が連ねられていた。

私は、採用試験のときから、「何ができるか分からないが、一生懸命頑張って立派な企業にしたいと思っている。そういう企業で働いてみる気はないか」と彼らに話をしてきた。それを承知のうえで採用され入社したはずなのに、一年早々で会社に要求書を突きつけ、「保証してもらわなければ、我々は会社を辞めたい」と言ってきた。

できたばかりの会社で人材に余裕もないだけに、入社後すぐに現場に配属し、一年経ってすでに各部門の戦力として活躍している人たちであった。本当のところは、辞められると会社は大変困る。しかし、どうしても要求に固執するようであればやむを得ない。「創業の時点に返ってやり直せばいい」と腹をくくり、私は「その要求は受けられない」と彼らに答えた。

会社を始めてまだ二年しか経っておらず、私自身会社の前途に対して、確信らしいものを持っていなかった。「とにかく必死でやれば何とかなるのではなかろうか」という程度のことでしか将来を描くことはできなかった。それなのに、当座だけ彼らを引き留めるために、「今こういう労働条件を約束しよう」と言えば、それは嘘になる。私には、できる自信も見込みもないことを保証することはできなかった。

話し合いは、会社では埒《らち》が明かず、私の家で夜中まで続いたが、彼らは頑として応じず、日を改めることとなった。

翌日になっても、彼らはなお、「一般に資本家とか経営者は、うまいことを言って労働者をだます」と言い、私の話に納得しない。そこで私は、次のように説き続けた。

「だますかだまさないかは、いくら私が言っても証明のしようがない。私は自分だけが経営者としてうまくいけばいいという考えは毛頭持っていない。入社した皆さんが心から良かったと思う企業にしたい。それが嘘か真《まこと》か、だまされたつもりでついてきてみたらどうだ。私は命を賭《と》してもこの会社を守っていく。もし私がいいかげんな経営をし、私利私欲のために働くようなことがあったら、私を殺してもいい」

三日三晩かけて、とことん彼らと話をした。結果、彼らは要求を撤回し、会社に残ってくれ、以前にも増して骨を惜しまず働いてくれるようになった。

経営理念を確立する

この事件は、私に企業経営の根幹を、気づかせてくれる契機ともなった。

それまでの私は、技術者出身として「自分の技術を世に問いたい」ということを会社設立の動機づけとしていた。会社の将来についても「夢中で働けば、何とか食べていけるだろう」という程度に考えていた。

私は七人兄弟の次男で、郷里の鹿児島に住んでいる親兄弟の面倒の一つも見なければならない立場にあった。しかし、それも十分にできていない状況なのに、どうすれば採用したばかりの従業員の将来の保証まですることができるのか。

経営者自身が明日のことも分からない。それにもかかわらず、従業員は何年も先までの待遇改善を期待し、家族まで含めた将来にわたる保証を会社に求めているということを、この事件により私は初めて知った。

そのとき私は、「とんでもないことを始めてしまった」とつくづく思った。そこで初めて、企業を経営するということは、「自分の夢を実現するということではなく、現在はもちろん、将来にわたっても従業員やその家族の生活を守っていくということである」ということに気がついた。

この経験から私は、経営とは経営者が持てる全能力を傾けて、従業員が幸福になれるように最善を尽くすことであり、経営者の私心を離れた大義名分を企業は持たなくてはいけないという教訓を得ることができた。

そのとき私は、「全従業員の物心両面の幸福を追求する」ということを、経営理念の筆頭に掲げ、さらに社会の一員としての責任を果たすために、「人類、社会の進歩発展に貢献すること」という一項を加え、京セラの経営理念とすることにしたのである。

それからおよそ半世紀が経過し、この経営理念に従い、「人の心」をベースに経営を進めてきたことが、現在の京セラをもたらしたのだと私は信じている。

社外からは、京セラの急成長、高収益体質は、技術開発力によるものと考えられているようだ。もちろんそれもあるが、振り返るなら、京セラの一番の強みは、心の通じ合える仲間の固い絆をよりどころとして創業し、その後も社員同士のパートナーシップを企業経営の基盤に据えてきたことだと思う。そのため、強固な人間関係を社内に構築することができ、個々の人が持つポテンシャル以上の成果を、集団として発揮できたのである。

3 原理原則を貫く経営

原理原則で考える

京セラを創業し、経営に携わらなければならなくなったとき、経営に関する経験や知識を私は持ち合わせていなかった。

ところが、会社を創業してみると、経営者として否応もなく、日々あらゆるケースで決断を迫られた。京セラは設立されたばかりのベンチャー企業であっただけに、自分が判断を間違えば、たちまち会社は傾いてしまう。そのため、正しい判断が求められる。私は心配で眠れない日々が続いた。

こうして悩みに悩んだ末に、経営における判断は、世間で言う筋の通ったもの、つまり「原理原則」に基づいたものでなければならないことに気がついた。両親や先生から教わったプリミティブな考え方、つまり我々が一般に持っている倫理観、モラルに反するような判断では、決してうまくいくはずがないと考えたのである。

そして、すべてのものごとを「原理原則」にまで立ち返って判断していこうと決心した。言い換えれば、「人間として正しいことなのか、悪しきことなのか」ということを基準にして判断し、「人間として正しいことを正しいままに貫いていこう」と考えたのである。

正・不正や善・悪などは、人間の最も基本的な道徳律であり、子供の頃から両親や先生に繰り返し教えてもらい、自分の血となり肉となっている最も身近な規範である。

これに則れば、経験や知識はなくても、そう大きく間違った判断にならないのではなかろうか。このように考え、現実に起きるさまざまな局面で、「原理原則」に基づき判断を行なうようにしたのである。

「私はひねくれ者なので常識を否定して……」などという、天《あま》の邪鬼《じゃく》を気取る経営者もときにはいるが、私の場合は、斜に構えるのではなく、また常識をむやみに否定したり、既存の考え方を頭から否定していくような姿勢で臨んできたのでもない。たまたま経営に無知であったために、「原理原則」に則り、ものごとを本質から考えなければならなかっただけである。しかし、その考え方が経営はもちろん、人生のあらゆる局面においても、私に正しい道筋を示してくれた。

企業経営でも原則を貫く

京セラは、初年度の決算から三〇〇万円ほどの利益を生み出すことができた。そのため、会社設立時に京都銀行から借りた一〇〇〇万円を「三年もあれば返済できる」と安易に考えていた。ところが、利益の半分ほどが税金で徴収されるということが分かった。さらに、残りの利益から役員賞与を出すと残金は一〇〇万円ほどとなり、このペースでは一〇〇〇〇万円の借金を完済するには一〇年はかかってしまう。私は「借金は嫌だから、少しでも早く返そうと思っているのに、こんな馬鹿なことはない」と途方に暮れたことを記憶している。

このように税金や役員賞与すら知らないのに、企業において組織はどうあるべきかなどという企業組織論など知っているはずがない。そのため、私は一般に喧伝《けんでん》されている、企業経営に関する理論や常識などにとらわれることなく、経営を行なっていった。日夜仕事を進めながら、実際の局面において、人間としての原理原則をベースに最大の効果を上げるために必要な経営システムや組織などを考えていった。

企業経営の本質についても、そのような考え方に基づき、至極シンプルにとらえていた。すでに述べたように、京セラ設立前に勤めていた会社で、私はニューセラミックスの研究開発に留まらず、自分の開発したセラミック材料を使った部品の製造販売までをも担当するようになっていた。そのため、経営における開発、製造、販売という三つのファンクションを自分なりに理解していた。

私にとって企業経営とは、開発した製品を、製造に移管し、販売し、売り上げを上げる。そして、この売り上げと費やした経費との差額が損益という、たったそれだけのことである。

八百屋が、ゴムひもをつけて天井からぶら下げたかごの中に、売った野菜の代金を入れ、お釣りを出し、そして店じまいした後で勘定する。そして、売上金から仕入れ代金を引いた残りが今日の儲けという、これと企業経営が本質的に同じだということに気がついたのである。

売り上げを極大に、経費を極小に

私は常々、経営において固定観念を持つことを戒めている。

たとえば世間では、当期利益率が数パーセントもあれば優秀で、一〇パーセントを超えれば極めて優秀な企業だということが「常識」とされている。しかし、この「常識」ほど恐ろしいものはない。

毎年常に五パーセントの利益率を確保している企業がある。円高など為替レートの大幅な変動があるにもかかわらず、経営努力を行ない、最終的に毎年五パーセントの利益を確保している。しかし為替変動分を吸収する経営努力ができるならば、その必要がないときでも、その努力を行なっていれば、もっと高い利益率が上げられたはずである。

ところが、五パーセントの利益率を「常識」としてしまっているため、その達成に向けてはさまざまな施策をとり、懸命な経営努力を重ねるのだが、いざ五パーセントの利益率を達成してしまうと安心してしまい、それ以上の利益率を追求するための努力を払おうとしなくなる。「常識」は達成目標となり得ても、それを超え、さらに積み上げていく指標とはなり得ないのである。

私は、「利益とは売り上げから経費を差し引いた結果でしかない。そうであれば、売り上げを極大にし、経費を極小にする努力を払うことが重要なのであり、そういう努力の結果として利益は後からついてくるはずだ」と考えた。そして、京セラは創業以来、極大の売り上げ、極小の経費を実現するために必要な組織や経営システムの構築に努めてきた。

私は、あえて常識を否定するつもりはない。ただ「常識」を知らなかったため、「原理原則」に基づいて判断せざるを得なかった。そして結果として、常に売り上げは極大を、経費は極小をめざす努力を続けるようになった。その過程の中で京セラは、高収益企業となっていったのである。

本質からものごとを追求する

また、次のようなこともあった。

京セラを創業してまだ間もない頃、ある会議で経理部長が「歩積《ぶづ》みの率が上がった」と発言した。私が「歩積みとは何か」と聞くと、銀行で手形を割り引いてもらう場合、一定の比率は預金として積み立てておかなければならない。これが歩積みで、その比率が上がったということであった。

私がさらに「銀行は何のために歩積みを取るのか」と聞くと、「そういうことになっている」と経理部長は言う。「おかしいではないか。手形が不渡りになったときに銀行が被害を被るので、預金を積ませてリスク回避を図るためではないか」と私なりに考えてたずねると、「その通りだ」と答える。

そして、「我々は今まで、歩積みを積んできたのか」と聞くと、「積んできた」という返事なので、「ならば、現在の手形割引残高と、歩積みで積んだ定期預金残高はいくらか」と聞いてみると、定期預金残高が手形割引残高よりも多いという。私は「そんな馬鹿なことはない。歩積みの率が上がった上がらないよりも、銀行がすでにリスクを回避できるなら、歩積みそのものをやめるべきだ」と主張した。

すると、まるで私が技術屋で世間知らずと言わんばかりに、「銀行とのつき合いというものがある。信用がないときに一〇〇〇万円も融資を受けたのに、屁理屈を言ってはおかしい」と言われ、私は会議出席者たちの失笑を買った。

世の中には筋の通らない妙な話があると思っていたが、その後しばらくして「歩積み両立てはいけない」という大蔵省（現財務省）の見解が新聞に掲載された。私は、「原理原則に照らしておかしいものは、やはりおかしいのだ」と自信を持つことができた。

米国企業への売り込み

これまで、日本の市場の閉鎖性が海外から指弾を受けてきた。しかし、私の経験では日本には強固な市場秩序ができ上がっていたため、海外に対してだけでなく、日本の新規参入企業に対しても閉鎖的であり、系列企業からしか買わないという体質があったように思う。

だから、創業当初、国内で営業に行っても、名だたる日本の電子機器メーカーは、名もない京都セラミックという創業したばかりの中小企業の製品をなかなか使ってくれなかった。

そのとき、私は次のように考えた。

「日本の電子機械工業界は、海外からの技術導入に頼っている。もし、海外の有力エレクトロニクス企業に京セラの製品を採用してもらえるならば、たとえ無名に近い存在であろうと、一も二もなく日本の大手企業でも使ってもらえるだろう」

私は英語も話せず、貿易の知識もないのに、創業間もない一九六二年に米国市場の開拓に乗り出していった。

初の海外出張

一九六二年七月、米国に向かって日本を発つことになったが、何分私は初めての海外渡航であり、英会話どころか、洋式便所の使い方さえも知らない。そこで、千葉県松戸にある知人の公団住宅に洋式便所があると聞いて、わざわざ出かけ、実際に体験をしたくらいであった。

当時は一ドル＝三六〇円の時代でもあり、一人の人間が米国に出張する旅費だけでもかなりの額になり、創業したばかりの京セラには大きな負担であった。そのため「何としても米国市場を開拓しなければならない」という悲壮な覚悟で旅立つことになった。その決意を社員に披露したら、みんなにもその思いが伝わったのか、あるいはようやく社員を海外出張に送り出すまでに会社が成長したということが嬉しいのか、幹部数名がわざわざ京都から東海道線の夜行に乗って、羽田空港まで見送りに駆けつけてくれた。仕事を終え工場から直接来てくれたらしく、作業着のまま、降り出した雨にもかかわらず、手を振りながら機中の私を見送ってくれた。

私は、飛行機が飛び立ってしばらく、社員の心遣いを嬉しく感じ、機中で感慨に浸っていた。しかし、私に対する社員の期待を考えると、いつまでも感涙にむせんでいることはできない。私はニューヨークに着くと早速客先回りを開始した。

しかし、なかなか期待したように仕事ははかどらなかった。当時は貿易商社を代理店として使っていたが、思い通りに動いてくれなかった。また、米国の仕事のペースも分からず、焦燥感を募らせていた。

汚いホテルに泊まり、外に出ても英語が話せず、思った通りの食事もできない。社員の期待を考えると、どうしても注文を取らなくてはならない。その思いが夜中に襲ってくる。うなされ、寒気がし、夜半に突然目が覚めるということが続いた。しかし結果として、貴重な経費を使ったにもかかわらず、受注に結びつくような収穫は最後までなかった。

そのとき私は、「もう二度と米国なんかに来るものか」と真剣に思った。

この苦い経験を教訓にし、さらに技術力を高め、一九六五年に改めて米国を訪れた際、ついに米国有力エレクトロニクスメーカーであった、テキサス・インスツルメンツ社のアポロ計画に使用する抵抗用ロッドの受注に成功することができた。これを契機として、米国の有力企業との取引が増し、それにつれ、当初の目論見通り日本国内での大手企業からの発注も増えていったのである。

米国人と同じ思考プロセス

最初の渡米で印象的だったことは、米国人も私と同じように「原理原則」に基づいた判断をするということであった。このことは、それ以降私が米国でビジネスを進めるうえでの大きな自信ともなり、助けともなった。

日本の法律体系はドイツを手本に成立し、その基本は成文法である。ところが、米国は判例法をとっている。そのため、米国人は、日常会話の中に「リーズナブル」という言葉をよく使う。たとえば、この法律条項があるからこうだと言わず、あらゆることを判断する場合に、それは「正当である」とか「妥当である」という意味で、リーズナブルという言葉を使う。

裁判においても陪審員制度を設けて、良識ある者が集まって、「この案件はこのように決めるべきである」と判断する。そして、その判例で社会のルールをつくって、後に続く者はそれに従って判断する。これが米国流である。

このように米国では、判例法を基準にとっているので、日常会話に「リーズナブル」という言葉が頻繁に出てくるのである。そのため、ものごとを判断するに際して、彼らは自分が真剣に考えて「リーズナブル」だと思うと、迅速かつ明確な決断を下す。

幸か不幸か、私は上司にお伺いを立てたり、豊かな経験知識に頼って判断するような境遇にはなかった。それゆえ、米国人と同じように一つひとつの経営の局面において、自分なりに考え、自分自身の良識、モラルに基づいたうえで判断した。

したがって、米国人とディスカッションを行なう場合でも、彼らと同じ土俵で、同じ速度で議論ができた。ある案件を彼らが「リーズナブル」だと言い、私も自分の考えで「正当だ」と判断すれば、即座に一致した結論を出せる。こうして米国でビジネスを進める中で、私は思いのほかスムーズに仕事を進めることができた。

これも「原理原則」に則った判断が身についていたことによる効能だと思う。

新株を発行して上場する

一九七〇年頃、京セラはマルチレイヤー（積層）ＩＣパッケージの開発・量産に成功し、高収益企業として、さらに急成長を遂げていた。創業以来、売り上げは対前年比五〇パーセント程度の成長を続け、また経常利益率においても約四〇パーセントを実現していた。

そのため、証券会社の方が盛んに訪ねてこられて、手を替え品を替え上場を勧められる。当時京セラは、受注生産のセラミック部品だけを扱う会社であっただけに、上場の意味さえよく知らず、考えたこともなかったのに、熱心な勧誘を受けた。私はさまざまな話を聞いているうちに、会社や社員のためにも上場すべきだと思うようになった。

上場には三通りの方法があるということを、そのとき教えてもらった。一つは、旧来から創業者たちが持っている株式を市場へ売り出す方法、二つ目は会社が新株を発行して市場に公開する方法、三つ目は両者の折衷案で、一部を持ち株の売り出しで一部を新株発行で行なう方法、この三つの方法があるという。

通常は、創業者など会社幹部が所有している株を放出して上場を果たし、彼らに莫大なプレミアムが入る、一番目の方法をとるらしい。それがベンチャー経営の到達点であるかのように言われてもいる。実際、証券会社も「創業からずっと苦労されてきたのだから、その労苦に報いる意味で、ぜひ所有している株を売りに出されるべきだ」と勧めた。しかし、私はそれに同意せず、二番目の新株発行による株式上場を決意した。

企業および経営者とは何か

そのとき私が考えたのが、「経営者とは何だろう」ということであった。私は、京セラの社長（当時）であると同時に、稲盛和夫という個人でもある。つまり、会社の代表と個人の両面を備えている。時に応じて、会社にとって望ましい方向に動くのか、それとも私という個人の利益のために動くのか。この分水嶺において、経営者の存在そのものが問われていると思った。

また、「企業とは何だろう」ということについても考えさせられた。企業は声を発しないだけに、トップである経営者が代弁してあげなければならない。

上場に当たって、創業者の株を放出して公開することは何ら悪いことではない。経営者も罪の意識を持つ必要は決してないはずである。しかし、もし会社が話すことができるならば、「すみません。今は設備投資が必要なのです。上場プレミアムをこれに回していただければ助かります」と言うかもしれない。

経営者は、個人であると同時に法人の代表、つまり企業の代弁者でなければならない。耳をそばだてて、企業の語る声を聞かなければならないのである。

一九七一年一〇月一日、京セラは新株発行を行ない、大阪証券取引所第二部および京都証券取引所に株式を上場した。

初取引では、京セラの業績が高く評価され、大量の買い注文が殺到し、公募価格四〇〇円に対し、五九〇円でようやく寄り付き、売買株は八〇万株にも上った。そして、この新株発行の結果、得られた金額はすべて京セラに入り、その後の発展の大きな推進力となった。

上場という分水嶺に臨んでも、「企業や経営者はいかにあるべきか」を真剣に考え、個人的な利益は得られなくとも、会社が発展できる方法を選んだ。この判断が、京セラをさらに発展させてくれたように思う。

4 お客様のニーズに応える経営

お客様の召使いとして

私は常々社員に「お客様の召使いであるべきだ」と言ってきた。これは、お客様に接する態度を示すとともに、徹底した顧客志向を意味している。研究、製造、販売のどの局面においても、京セラは徹底して顧客ニーズを大切にする経営を行なってきた。実際、できたばかりのベンチャー企業として、それしか生き残る方法はなかったからでもある。

特に、お客様に接する姿勢としては、お客様の召使いとも呼べる位置づけを甘んじて受け入れるように言ってきた。「甘んずる」という意味は、嫌々という意味ではない。自ら喜んで、気持ち良くお客様の召使いを務めるように言ってきたのである。

お客様の召使いが務まらないようでは、どんな立派な販売戦略も絵に描いた餅でしかなく、また仮に一時的に成功したとしても単発に終わり、持続的な成功を収められるはずはない。お客様に対して徹底的に奉仕をすること、これも経営の大原則の一つである。

ただし、徹底的な奉仕をするといっても、自ずから限界が存在する。たとえば、価格について、いくら安く提供しようとしても、まさかただで売るわけにはいかない。また、品質についても、絶対的なレベルまで追求することは現実的には不可能である。納期についても、資材調達や製造工程、流通ルートなどで時間がかかり、ゼロにはならない。

ところが、お客様に対する態度、サービスだけは限界がない。だから召使いのように徹底して、お客様に奉仕しなくてはならないのである。

未来進行形で開発する

お客様のところに営業に行っても、ニーズに合ったものがなければ売れないのは言うまでもない。しかし、常にお客様が必要とする製品のラインアップを備えていたり、またそのような製品を開発できる技術力を持っているとは限らない。特に、ベンチャー企業など規模の大きくない会社が、十分な種類の製品や開発力を備えていることは稀であろう。

ところが、客先で「このような製品を開発してくれるなら買う」と言われることがある。しかし、その仕様は、業界や自社の技術水準をはるかに超えている場合が往々にしてある。

このようなお客様のニーズを聞いたときには、それが現在の自社の製品群に存在しなくても、また技術力が不足していたとしても、まずは「できます」と受注してしまうことが大切である。まず、受注してしまい、それから「いかに開発するか」「いかに短期間で納品するか」を検討し、発注いただいたお客様に迷惑をかけないために、死力を尽くして開発に取り組む。そういう姿勢が特にベンチャー企業には必要なのである。

企業においても、個人においても、能力を未来進行形で考えることが重要である。あえて自分の能力以上の目標を設定する。最初に、今はとても不可能と思われるほどの高い目標を、未来のある時点で達成すると決めてしまう。そして、自分の能力を、その高い目標に対応できるようになるまで高める方法を考えるのである。

現在の能力をもって、可否を判断していては、新しいことなどできるはずがない。今できないものを何としても成し遂げようとすることからしか、真に創造的なことは達成できないのである。

このように、自らの能力を未来進行形でとらえることができなければ、ベンチャー企業や中堅企業の新たなビジネスは成立しない。お客様の要求を咀嚼《そしゃく》し、自社技術のポテンシャルを勘案しつつ、「この仕様で、この納期で必ずつくります」と即座に言えるようでなければ、ただでさえ知名度の低いベンチャー企業は、ビジネスチャンスをものにできないのである。

手の切れるような製品

品質においても、競合他社より優れたものを、お客様に安定して供給できる体制がなければ事業はうまくいかない。

創業時代から私は、品質について「手の切れるような製品」でなくてはならないと社員へ話してきた。これは、真新しい紙幣のような手触りを感じさせる素晴らしい製品という意味である。そのような製品でなければ、お客様に本当に満足してもらうことはできない。

昔、ある研究者が何カ月かの苦労の末、やっと製品のサンプルを完成させせ、報告に来た。しかし、そのでき上がったサンプルを見るやいなや、私はにべもなく「色が違う」と突っぱねた。

「私はもっとレベルの高いものを期待していた。性能をギリギリ満足する程度のものではない。大体、色が違う。こんなものはダメだ」

と言うと、彼は筆舌に尽くしがたい苦労をしたのであろう。感情を抑えきれずに、

「色が違っていようと、性能は満たしています」と反論してきた。

自分が何カ月もかかって研究し、完成させたものがあっさりと拒否されたのだから、彼が憤ったのも無理がないことかもしれない。それでも私は、「私に『見えていた』ものは、このような色をしたセラミック製品ではない」と言って、やり直しを命じた。そして、私の頭の中で「見えていた」ものと同じサンプルができるまで、何度もやり直しをさせたことがある。

そのときに、私は「開発者は、手の切れるような製品をつくらなければならない。あまりに完璧で、素晴らしく、まるで触れれば手が切れてしまいそうだというような

製品をつくるべきだ」と言った。

　ここで言う、「手の切れるような」とは、素晴らしい性能を備えているばかりか、色も形状も非の打ちどころがないという意味である。また、客が要求する基準以上の品質を持った製品という意味でもある。私は「オーバースペックでもいい、手の切れるようなものを努力を惜しまずつくるということが、まずは開発者にとって必要なことだ」と常々言ってきた。

　まずは、採算を一切度外視して、最高の品質の製品を一個でもいいからつくり上げる。その後、コストを考慮に入れ、どのように量産するかということを検討していく。このような手法をとるべきだと思うのである。

　製品には、つくった人の心が表れる。粗雑な人がつくったものは粗雑なものに、繊細な人がつくったものは繊細なものになる。しかし、粗雑な姿勢で粗雑な作業を行ない、でき上がった製品の中から良品を選ぶというケースが実際には多いのではないだろうか。私は、完璧な作業工程のもとに、「製品の語りかける声に耳をすます」というくらいに、繊細で集中した取り組みで、「手の切れるような製品」をつくり上げるようにしなければならないと考えている。

値決めは経営

経営の死命を制するのは、値決めであると私は考えている。

製品の値決めに当たっては、さまざまな考え方がある。価格を下げ、利幅を少なくして大量に売るのか、それとも価格を上げ、少量販売であっても利幅を多く取るのか、その価格設定は無段階でいくらでもある。だから、値決めは経営者の思想の反映であると言ってもよい。

ある価格を決めたときに、どれだけの量が売れるのか、またどれだけの利益が出るのかということを予測することは非常に難しい。価格設定が高すぎて製品が売れなかったり、逆に売れたとしても安すぎて利益が出なくなったり、いずれにしても値決めを間違えると、大きな損失を被ることになる。

自社製品の価値を正確に認識したうえで、製品一個当たりの利幅と販売数量との積が極大値になる、ある一点を求め、それで値決めをしなくてはならない。その一点は、お客様から見ても喜ばれるものでなくてはならない。

メーカーにおいては、このように、熟慮を重ねて決められた価格において、最大の利益を生み出す努力が必要となる。その際、材料費がいくら、人件費がいくら、諸経費がいくらといった固定概念や常識は一切捨て去るべきである。価格に加えて、同時に決まる仕様や品質など、与えられた要件をすべて満たす範囲で、製品を最も低いコストで製造する努力が不可欠なのである。

お客様から尊敬される

商いの極意は、お客様から信用されることだと古くから言われている。「儲ける」

という字は信じる者と書く。信じてくれる者が増えることによって、利益が上がるということが古《いにしえ》から言われている。これは間違いではないのだが、まだその上があるように私は思う。

もちろん、信用は商売の基本であり、お客様に信用されるだけの実績を積み上げていくことがビジネスではまず求められる。だが、信用の上に「徳」が求められるのではないだろうか。

いい品質の製品を、求めやすい値段で、決められた納期に提供する。このような数値化できる要素で、お客様への奉仕に努めることで、確かにお客様からの信用は得られる。しかし、それ以上のレベルとして、お客様から尊敬されるという次元があると思う。

もし、お客様から尊敬されるならば、他社と品質を比較されたり、他社より値段が少し高いとか安いという問題は超越してしまい、「何としてもあの会社の製品を買いたい」と、優先的に買っていただけるようになる。逆に、多少安くても「あの会社の製品は欲しくない」ということもある。

尊敬にまで達する、お客様との絶対的な関係を築くこと、それこそが真の商いではないだろうか。それには尊敬に値する高い人間性を経営者や社員が備えていなければならない。

企業とは、経営者をはじめとする社員を映し出す鏡である。だからこそ、特に経営者は自分自身を高めるための努力を続けていかなければならない。

5 未来へ挑戦する創造的経営

常にチャレンジする

「京セラは、ファインセラミックスという成長性のある事業にいち早く参入し、技術開発力が優れていたため、また時流にも乗ったため発展した」と世間ではよく言われる。つまり、先見性があり、技術力があり、そのうえ運にも恵まれ、大発展を遂げた会社だという。

しかし、それは一面的な見方にしかすぎない。私は、京セラが他の事業分野に参入しても同様に成功したはずだと思っている。なぜなら、京セラは新しいビジネスにチャレンジし、成功させるために必要なものをすべて備えているからである。

新規事業を展開するには、まず挑戦する確固たる姿勢がなければならない。一般に、新規事業展開に当たっては、資金力やマーケティング力、技術力などが優先すると思われている。しかしそのような経営資源は必要条件であっても、十分条件ではない。まず前提として、果敢に挑戦する姿勢が大切なのである。

実際に私は、新しい事業にチャレンジし続けた。どんな困難に遭遇しようとも絶対に諦めることはなかった。そのような精神を社員に説き、またそのことの重要性を実証するためにも、異分野への多面的な展開を図ってきた。

その結果、京セラは、ファインセラミックスの部品事業に留まらず、今では太陽電池、プリンタ、携帯電話などのコンシューマ製品から、ＫＤＤＩなどの電気通信事業まで、さまざまな事業に進出し、各々が成功を収めている。

守りに入ったときには、企業は衰退の芽を吹き始めているという。そうならないために、次々に新規事業に進出して、成功を収めていくことが必要だ。社員も、果敢な事業展開を行なう企業であってこそ鼓舞され、努力するはずである。

だからこそ、経営者は常にチャレンジし続けなければならない。さらには、先頭を走る経営者が倒れても、その精神を継承した社員が、経営者の屍《しかばね》を乗り越えてチャレンジを続けていく。そのような企業風土をつくらなければならない。

チャレンジする資格

しかし、挑戦やチャレンジといえば勇ましく耳に心地良いが、これには大いなる危険を伴う。私は常に新規事業に挑戦し続けてきたが、リスクに耐えうるだけの優れた財務内容を備えることを挑戦の前提としてきた。

たとえば、一九八四年に通信市場の自由化に向けて第二電電（ＤＤＩ）を創業したときも、京セラは一〇〇〇億円以上の内部留保を持っており、仮に通信事業で失敗をしたとしても、屋台骨まで揺らぐことはなかった。

そういう保証があって初めて新規事業への思い切った展開ができるのであって、裏づけなくチャレンジすることは蛮勇でしかない。どんな危機に遭遇しても、企業が安全に航行できるだけの十分な資金力と財務内容を持って、新規事業の展開を図らなければならないのである。

また、挑戦やチャレンジには、計り知れない努力や困難に立ち向かう勇気が必要となる。この厳しいプロセスに耐えることなくしては、新規事業での成功などありはしない。

このような資格を持ち合わせない人が、チャレンジとか挑戦ということを口にしてはならない。財務上の確固たる基盤はもちろん、挑戦する姿勢と覚悟を持った人のみが、独創的な事業にチャレンジし、成功を収めていくのである。

限りない夢を描く

ベンチャービジネスの経営者というのは、常に新しいものにチャレンジしている人でなくてはならない。
言葉を換えれば、停滞していること、安定していることを望まない人でなければならない。また、あふれるような希望と、限りない夢を未来に描ける人でなければならない。

さらに、常識にとらわれない人であり、常識にとらわれないで努力をすれば可能性が開けるのだと信じている人でなければならないのである。

夢を現実に成就させるためには、強烈な意志と熱意が必要となる。「こうありたい」「こうすべきだ」という強い意志は、その人の奥底にある魂そのものからほとばしり出るものでなくてはならない。

どんな困難があっても、それを乗り越え、成就するまでやり遂げようという強い意志が、体の奥底から湧き出てくるような人でなければ、創造的なことをすることはできない。

「とりあえずやってみよう」「人がやっているからやってみよう」という程度では、

絶対に新規事業の成功はあり得ない。どんな困難に出合っても、決して諦めない、必ず実現させるという強烈な思いがなければ、新規事業の成功も、企業の多角化も、およそ不可能なのである。

潜在意識にまで透徹する強い願望

研究開発においては、多くの開発テーマのうち、一部のテーマでも成功すればいいと一般に言われているが、私は間違っていると思う。

私は技術者として社会人のスタートを切り、長年研究開発に携わってきた。私がとってきた方法は、たとえて言うならば、狩猟民族が獲物を追い詰めるようなものである。槍一本を持って、獲物の足跡をたどりながら、不眠不休で追い続け、追い詰め、何としてもしとめる。

つまり、「どうしてもこうありたい」という願望、「何としてもやり遂げねばならない」という責任感、さらに「弱音を吐くな」と自分を励ます意志を持って、最後までやり遂げるのである。

「潜在意識まで透徹するほど強烈な願望を持ち続けることによって、自分の立てた目標を貫徹しよう」ということを、私は常々社内で言ってきた。

強い願望であれば必ず、目標が成就される。それは願望が強烈であれば、自らの潜在意識にまで深く浸透し、その潜在意識下の願望が、本人が寝ているときでも何も考えていないようなときでも働いて、願望成就に至る行動をとらしめるからである。

単なる希望程度では決して成就しない。毎日毎日考え抜いて、潜在意識まで染み通っていくような、強烈な願望を持つならば、新しい領域においても必ず目標は実現する。

マルチレイヤーICパッケージの開発

ここで、京セラの発展にとって、エポックメーキングとなった製品「マルチレイヤー（積層）ICパッケージ」の開発について触れてみたい。

IC（集積回路）は、身の回りのエレクトロニクス製品に数多く使われており、今や私たちの生活に欠くことのできないものとなっている。このICを保護するものがICパッケージである。

京セラが創業して間もない一九六〇年代は、ちょうどエレクトロニクス産業の勃興期であった。トランジスタ技術の確立がやがて、IC、LSI（大規模集積回路）へと大きなうねりとなって続いていった。そして、米国西海岸のシリコンバレーには、続々と半導体関連企業が生まれていった。そのような企業から京セラに対し、半導体チップを保護するためのセラミック部品の引き合いが多数来るようになった。

一九六九年春、私が米国のある電子部品メーカーを訪問したとき、高密度パッケージの引き合いを受けた。それが初めての積層のＩＣパッケージであった。

縦横二五ミリ、厚さ〇・六ミリの電子回路が印刷されたセラミック板を二枚重ね合わせ、その二枚の電子回路基板間が〇・二五ミリの穴九二個を通じて電気的に接続されており、さらには三六本のピンが周囲に引き出されているというものである。それは当時の京セラの技術水準をはるかに超えていた。

真の創造をもたらすもの

その画期的な製品を、わずか三カ月で開発してほしいという要請であった。当時の京セラの技術を集大成すれば、何とかできるのではないかと考え注文をもらってみたものの、いざ実際にやってみるととんでもないものであることが分かった。

まず、社内に微細なプリント加工を行なう機械がない。そして、直径〇・三ミリほどの穴をセラミック板に開ける技術さえ確立されていない。さらには、セラミック板を焼成する工程で、印刷した電気回路を構成する金属が燃えてしまう。最も厄介であったのは、二枚のセラミック板を密着させることであった。二枚のセラミック板が反り返るなど変形してしまい、なかなかくっつけることはできなかった。ようやくこれらの難問を解決しても、今度は九二個の穴を通しての電気的接続が不完全で、開発はなかなか進まなかった。

開発陣は、二カ月ほどまさに不眠不休、放っておけば食事さえ忘れるくらい、全身全霊を傾けて取り組んだ。ようやくわずか一個であるが、何とか製品をつくり上げたときの喜びは何にも代えがたいものであった。

この間、開発に携わった技術者の頭の中には、一切の邪念はなかった。一個の良品をつくる過程で、次々と立ちふさがる障害を克服するため、寝ても覚めても解決方法を考え続けた。決して困難な状況から逃げることなく、真正面から真摯に開発に取り組んでいった。

そうすると、困難と思われた技術問題が次第に解けていった。それは、必死に取り組んでいる姿を神が見ていて、そのあまりにいじらしい姿に感動して、手を差し伸べてくれたのではないかとも思えたほどであった。

苦しんで苦しんで切羽詰まった状況で、今まで見過ごしていた現象を見つけ、一挙に問題解決が進む場合がある。神のささやく啓示とも呼ぶべきこの瞬間こそ、真の創造に至る道であろう。

つまり緊迫感を伴った状況の中でしか、創造の神は手を差し伸べないし、また真摯な態度でものごとに対処しているときでしか、神は創造の扉を開こうとはしない。暇と安楽から生まれるものは、単なる思いつきでしかないのである。

このマルチレイヤーICパッケージの開発から、私はこのことを学んだ。そして、この製品の開発は京セラに、その後の急成長をもたらしてくれたのである。

高い志がエネルギー源

人間は何のために生きていくのかを考えたい。時代や国が変わろうと、誰でも「人として生まれてきた以上、充実した人生を送りたい」と思っているのではないだろうか。私は、「世の役に立ち、自分も幸せだった」と振り返って感じられるような生き方が、究極的には人々の求めている人生の姿であろうと思う。

このような生き方を人々が求めているに違いないと私が堅く信じているのは、人間には自分の仕事や自分の人生を正当化したいという強い欲求があると思うからである。言い換えれば、人間は、自分の人生や自分の仕事に生き甲斐、意義を見いだすように努力をするからである。そうでなければ、誰も長年の間働き続けることはできない。

さらに重要なことは、人生における目標は、志の高いものでなければならないということである。レベルの低い、後ろめたい志であれば、いつか意欲も削がれてしまう。

また、一般的には積極的で強い情熱があれば必ず成功すると言われているが、その情熱が歪んだものなら、成功する原因は同時に没落の原因ともなる。つまり、異常なほど強い情熱というのは、成功の美酒をもたらすが、失敗という陥穽《かんせい》をも用意しているのである。

もちろん、事業を成功させるには、まずは人並み以上の強い情熱が要求される。しかし、成功していく過程で、人間性、人生観、哲学が浄化されて立派なものになっていかなければ、その成功を持続していくことはできない。あまりに強烈な情熱はいつか周囲との摩擦を生む。また、あまりに極端な目標達成意識は違法行為にまで走らせ、やがては没落に至る原因ともなる。

何かを成そうとすれば、大きなエネルギーを必要とする。だからこそ、誰から見ても、どこから眺めても、立派だと言えるような高邁な志、目的意識がなければ、自分の持てる力のすべてを出し切ることも、周囲の人々から協力を得ることも、成功を続けることもできないのである。

自分自身を信頼する

私は常に独創的であることをめざしてきた。独創的であるということは、まさに人がやったことのない、またはできないと言われていることを実現させることである。日本の技術や経営手法は、欧米の物真似がほとんどで、日本のオリジナリティにより成功したという話は、あまり聞いたことがない。技術者として、また日本人として残念なことであるが、日本人の思考パターンでは創造的なことができにくいのではないかと思う。創造的な領域では、日本人はハンディキャップを背負っているのではないかとすら私は思っている。

しかし、積極的な事業展開を図るためには、創造的な姿勢が不可欠となる。そして、誰もやったことのない、真に創造的なことにチャレンジするということほど、難度の高い仕事はない。

これは、まるで自分の鼻先も見えないような暗闇を案内もなしに歩くようなものである。そこでは、蛮勇の徒は、恐らく立って歩き回るであろう。しかし、すぐに思いもかけない窪みに足を取られ転倒してしまうに違いない。

一方、怖がりの慎重居士《しんちょうこじ》は、四つん這いになって、手で恐る恐る探って進むであろう。中には小心者で前へ進むことも退くこともできず、立ち往生する者もいるだろう。このように未知の分野を切り開こうとすると、その人の性格、人間性が端的に表れる。

前人未到の道を歩くのと、先達の轍《わだち》をたどるのとはまったく違うことである。前者の場合、確かめることができるのは自分だけであり、自分の手で触れ、自分の足で踏みしめ、自分の頭で確認し、前進しなければならない。後者の場合は、先人の足跡を追うだけでいい。

真に創造的なことを始めようとする際、最も重要なことは、自分自身に対する信頼、つまり自信を持つことである。自分の中に確固たる判断基準を持ち、それを信じ行動できるようでなければ、創造の領域で模索する間に、道を見失ってしまう。

パーフェクトをめざす

研究開発や新規事業展開など、創造的な領域で仕事をする人は、技術的に優れているのはもちろん、精神的にも充実し、自分自身のものさし、つまり判断基準を持っている人でなければならない。

たとえば、私の経験では、学生時代の実験はまさにでたらめと言っていい。化学実験で分析値が教科書に載っているデータとまともに合ったことはない。先生が示したものとは違う結果が出るため、実験をやり直しデータを修正することが幾度もあった。

基準とすべき前例があるから、自分の間違いが分かり、修正できる。しかし、比較するべき対象が何もなければ、何をもって自分の正しさを確かめるのか。修正が必要か否かさえ判断がつかない。

そのとき、大切なことは、「このくらいやればいい」というのではなく、何ごとにもパーフェクトであることを求める姿勢である。

例を挙げると、医師のほとんどが、自分の妻子や両親など近親者の診断はできないという。ましてや外科手術になると、まず自分ではメスを握れず、自分が信頼する医者に頼むのが普通だという。自分が信頼できないのである。

また戦時中、海軍航空隊で整備に携わっていた伯父が同じようなことを話していた。

爆撃機には必ず、整備を担当する人が機関士として乗り込まなければならないが、その際に自分が整備した飛行機には乗らず、自分の戦友が整備した飛行機に互いに乗り合うという。

なぜかというと、毎日真剣に整備していればその飛行機の安全に自信が持てるが、そうではないため、完全には自信が持てないというのである。

飛行機の整備を規定通り確かに実施した。一生懸命に取り組みもした。しかし、「パーフェクトか」と問われると確信が持てない。だから、万一ということを考えて、他の人が整備した飛行機に乗り込むというのである。

先ほどの医師についても同様のことで、パーフェクトな取り組みをしたという、自分自身に対する信頼がないのである。しかし、私がもし外科医で、肉親が手術を必要とするなら、私は誰にも任せないで自分で執刀するであろう。また、私が整備士なら自分で整備した飛行機に搭乗するであろう。

なぜなら、私は自分が完璧をめざす生き方を日々続けているという自信があるからである。毎日が完全主義であって初めて、自信を持って自分の方向を定められる。逆に言えば、パーフェクトな生き方でなければ、自らを信じることもできず、どこへ飛んでいくか分からない迷走飛行となってしまう。

パーフェクトであろうとすることは、自分を甘やかそうとする気持ちを抑え、言い訳を許さず、仮借《かしゃく》ない態度で常に自らを律することを意味する。

必要な瞬間にだけ集中すればいい、というような安易な態度ではない。張り詰めた緊張感で日々仕事に取り組み、あらゆることに真剣に対処する、そのような習慣を我がものとすることが必要なのである。

このような研ぎ澄まされた神経は、習い性となり、まったく経験したことのない創造的な分野においても、正しい判断をもたらしてくれる。

6 アメーバ経営と時間当り採算制度

全員参加の経営

大きく肥大した組織になればなるほど、無駄が分かりにくくなる。京セラが成長を続け組織が拡大する中で、私は大きな組織を小さな組織（細胞）に分割して、無駄のない経営をしなければならないと思った。また、社員一人ひとりが生き生きと働くことのできる企業であるためには、個人の能力が最大限に発揮される組織が必要だと考えた。このような観点から私が考え出した経営手法が「アメーバ経営」である。

一つひとつの組織が、環境に応じて姿を変え、自己増殖することから、アメーバと呼ぶ。アメーバは社内間で互いに売買をし、あたかも一つの中小企業であるかのように活動する。

中小企業の経営者は、大企業では利益が出ないような仕事でも何とか儲かるように工夫し、たくましく生きている。この中小企業と同じような根強い組織体を企業内につくり、そして中小企業の経営者と同じような経営感覚を持ったリーダーを社内に育成していく。

さらに末端の社員一人ひとりまでが自分のアメーバの経営目標を把握し、それぞれの立場で業績向上に努力を払うというような、全員参加の経営を実現する。アメーバ経営は、これらのことを目的としている。

リーダーに経営を委任

組織については、製品別に組織を分けたアメーバもあるし、中には一品種でも大規模な生産をしているために、その製造工程ごとに組織を分けたアメーバもある。そのため、人数について、およその基準は設けてあるが、定型的あるいは固定的であることをめざした組織ではないので、絶対的な基準は設けていない。アメーバの名の通り、経営環境に応じて自在に、組織、人数などが変化する。

各アメーバに対して本社から指示をすることはときにはあるが、基本的に各々のアメーバリーダーが、その経営を委任されている。上司の承認は必要だが、各アメーバの経営計画、実績管理、そして物品購入から労務管理まで、アメーバリーダーは経営全般を任されている。

このアメーバ経営を創業間もない頃から続けており、京セラのアメーバリーダーはたとえ三〇歳代の若さであっても、毎日採算意識を持って、経営を実践することにより、素晴らしい経営感覚を身につけている。

また、入社して間もない若手社員もすぐに鍛えられ、しっかりとした採算意識を持ち、上司がうっかり無駄なことをやりかけると、「それは駄目です。経費が上がります」と手厳しく指摘をすることもある。これが先ほど述べた、全員参加の経営である。

心をベースとした信頼関係を基盤に

収支は、アメーバが一時間当たりいくらの付加価値を生んだかという独自の計算方式で表現している。簡単に言えば、各アメーバの売り上げから使った経費をすべて差し引き、残った金額を月の総労働時間で割った数字を経営の指標としている。これを「時間当り」採算制度と呼んでいる。

その際、高い業績を上げると、大きな顔をして社内で威張るとか、中には報奨金等の見返りを要求する者も出てきてしかるべきものだが、そのようなことは皆無である。アメーバ経営は、インセンティブを要するような経営システムではないのである。

アメーバ経営は一つの経営システムではあるが、それは単なる経営手法ではない。

経営手法なら衣装のように、方法や手順さえ学べば簡単に身にまとうことができるが、アメーバ経営は手法面だけを単純に導入しても正常に機能はしない。アメーバ経営の基盤には、先に述べた京セラフィロソフィがなければならないのである。

京セラの経営理念は、前述のように「全従業員の物心両面の幸福を追求すると同時に、人類、社会の進歩発展に貢献すること」というものであるが、このように経営の目的が経営者の利益のためではなく、全従業員の幸福を願うものであるため、トップも各アメーバに対し、何のためらいもなく一生懸命働くことを真正面から求めることができる。

このアメーバ経営を正常に機能させるためには、京セラフィロソフィにあるような、従業員と経営者、そして従業員相互に深い信頼関係が存在しなければ、また常に人間として正しいことを求める社風が築かれていなければならない。そうでなければ、アメーバ経営は、社員の競争心をいたずらにあおったり、不正を横行させ、かえって企業を荒廃させてしまう可能性すらある。

アメーバ経営にとって重要なことは、自分の組織がいくら利益を生み出したかということではなく、自分の組織は一時間当たりこれだけの付加価値を生み、運命共同体である会社に対して、これだけの貢献をしたと考えられるようになることなのである。

だから会社に対して高い貢献をしたとしても、ボーナスや報奨金を与えるといったことはない。金品で人の心を繰ることができたとしても、一時的なものでしかない。アメーバ経営においては、素晴らしい実績を上げたとしても、各アメーバに精神的名誉が与えられるだけである。

信じ合う仲間から称賛と感謝が得られるということが、最高の報奨なのであり、そのような人間の本質に基づいた考え方が、社員に自然に受け入れられるようになるためにも、前述した経営理念や京セラフィロソフィが必要不可欠なものになるのである。

第二部 「フィロソフィ」の根底にあるもの1

――稲盛和夫の思想――

1973年、月商18億円達成でグアム、20億円達成でハワイに社員全員で旅行するという目標を掲げた（左から2人目が著者）。

1　人生の方程式

「能力」は先天的

私は、京セラを創業して間もなく仕事や人生の成果を表す方程式を見いだした。それは、人生・仕事の結果＝「考え方」×「熱意」×「能力」というものである。

私は長年、この方程式に基づいて仕事をしてきた。またこの方程式でしか、自分の人生や京セラの発展を説明することはできない。

私は一九三二年一月、鹿児島市内のさして裕福でもない家に生まれた。一族一統に地位や名誉を築いた名士がいるような家系でもない。また私自身の、中学や大学の入学試験、そして就職試験にことごとく失敗してきた経歴が示すように、平均的な能力を持つ、平凡な人間でしかない。また、京セラも平均的な能力を持つ人間の集団であろう。

そのような人並みの「能力」しか持たない私が、人並み以上のことを成し遂げる方法はないのだろうかと考えた末に見いだしたのが、この方程式なのである。

人生の結果、または仕事の成果を表すこの方程式の三つの要素の中で、「能力」は多分に先天的なものである。両親からあるいは天から授かった知能や運動神経、そして健康などがこれに当たり、生きていくに当たっての大きな資産となる。

人生という長丁場で、浮き沈みはいくらでもある。その中で頑健であるということは、やはり大きな財産となる。しかし、その健康についてさえ、先天的な要素が多分にあり、個々人が全面的に責任を持てるものではない。

この天賦の才とも言える「能力」を点数で表せば、個人差があり、それこそ零点から一〇〇点まである。

「熱意」は意志力次第

この「能力」に、「熱意」という要素を掛ける。

「熱意」、あるいは努力と言い換えてもいいが、これに関しても、やる気や覇気のまったくない無気力な人間から、仕事や人生に対して燃えるような情熱を抱き、懸命に努力する人間まで、やはり個人差があり、零点から一〇〇点まである。この「熱意」は、自分の意志で決めることができる。

私は、この「熱意」を最大限にするように、際限のない努力を続けた。最初に就職した松風工業でニューセラミックスの研究に携わったとき、また仲間とともに京セラを創業してから今日まで、人の数倍努力してやっと人並みと考え、仕事に全身全霊を挙げて打ち込んだ。周囲の人からは「いつか倒れるだろう」と言われ続けた。

これはマラソンにたとえることができる。四二・一九五キロメートルを短距離走のように全力疾走で走り始めたわけだから、世間の人が私を見て揶揄《やゆ》するのも無理はない。

私は、どうせレースに出場するなら、最後尾をのろのろと走っても意味はないと考えた。せめて、最初の二キロメートルくらいは、トップ集団についていこうと思い、最初から全速力で走り始めたのである。

ところが、その二キロメートルくらいを過ぎ、周囲を見回してみると、名選手と言われている人もそれほど速くない。そこで「これなら、まだいける」と思い、さらにピッチを上げ走っているうちに、先行ランナーを抜いてしまった。それが私の率直な印象である。

「考え方」はプラスからマイナスまで

そして、残る「考え方」が最も重要な要素となる。

「考え方」とは、その人の魂から発するもので、生きる姿勢と言ってもいい。この姿勢が人間として正しいものかどうかが問われてくる。先ほどの「能力」や「熱意」が零点から一〇〇点まであるのに対して、「考え方」はマイナス一〇〇点からプラス一〇〇点まで大きな振幅がある。否定的な「考え方」を持った人の人生が、ネガティブな結末を迎えることが非常に多いこともこれで説明がつく。

そして、この「能力」「熱意」「考え方」の三つの要素を掛け合わせるため、人生や仕事の結果は大きな違いとなって表れてくる。

健康であり、運動神経が発達し、そのうえ頭も切れる、たとえば「能力」が九〇点という人がいるとする。しかし、この「能力」九〇点の有能な人が、「自分は頭もいいし、スポーツもできるし、健康だ」などと過信して、真面目に努力することを怠るとするなら、「熱意」は三〇点だ。「能力」九〇点に「熱意」三〇点を掛けて、この人は二七〇〇点という数字にしかならない。

一方、「自分は平均よりちょっとましなほうで、『能力』は六〇点ぐらいだ。でも、抜きん出た才能がないだけに必死で頑張らなければならない」と言い聞かせ、情熱を燃やし、ひたすら努力する人であれば、「熱意」は九〇点となる。そうすると六〇点掛ける九〇点で五四〇〇点と、先ほどの秀才の倍の結果が出る。そしてこの積の上に、さらにマイナス一〇〇点からプラス一〇〇点まである「考え方」が掛かってくる。

就職活動で自暴自棄

世をすね、人を妬み、人をそねみ、まともな生きざまを否定するような、つまり否定的な生き方をするならば、先ほどの方程式において「考え方」がマイナス値となり、「能力」があればあるだけ、「熱意」が強ければ強いだけ、人生や仕事の結果において無残な結果を残してしまう。素晴らしい哲学を持つか持たないかで、人生はがらりとその様相を変えるのである。

私の大学卒業は就職難の時期に当たり、私自身の就職活動も難航した。

節約するため普通列車を乗り継ぎ、三日がかりで鹿児島から東京に向かい就職活動をしたが、どの会社を受けても受からない。コネがなければ就職できない時代であった。

そのため、私は自暴自棄になり、鹿児島の繁華街を歩きながら、「世の中は、貧乏人が報われることはなく、不公平と不平等が横行する。そんな堅気の世界よりも、義理と人情に満ちた任俠の世界のほうがずっと人間らしいのではないか。それならいっそのこと、やくざにでもなろうか」と思ったことがある。

もし私が、本当に仁俠の世界に身を投じていたなら、恐らくは九州ではちょっとは名の売れた仁俠一家をつくっていたと思う。

というのも、私には誰にも負けない「熱意」がある。そして、「能力」もないわけじゃない。ただし、「考え方」が世をすねて渡るという方向だ。そのため、私の人生の結果は、大きなマイナス値が出ていたであろう。

「能力」や「熱意」の重要性については、誰でも分かっているかもしれないが、この「考え方」や哲学が、人生においてどれだけ大切かということは誰も教えてくれない。しかし、この方程式で分かるように、人生においては、正しい「考え方」を持つことが一番大切なのである。

成功への王道

松下幸之助氏や本田宗一郎氏は、高等教育を受けておられない。学校を出てすぐ丁稚奉公に行かれたので、最高学府での学問の経験もなければ、専門知識もお持ちでない。

しかし、何にも増してお二人は燃えるような「熱意」を胸に、誰にも負けない努力を払われた。また、事業を通じて、従業員をはじめ世の多くの人々に貢献したいという崇高な考え方を持っておられた。

人間はともすれば、有名大学を出、学問をすればするほど「能力」に依存し、「熱意」や、さらには「考え方」の重要性に対する認識が希薄となってしまう。そのせいか有名大学出身の創業者で成功した人は思いのほか少ない。

才能があればあるだけ、謙虚に考え、素直に努力することができないのではないかと私は思う。

成功に至る近道などあり得ない。情熱を持ち続け、生真面目に地道な努力を続ける。このいかにも愚直な方法が、実は成功をもたらす王道なのである。

2 心に思った通りの現象が現れる

潜在意識を動かす

私は、心に描いた通りに、ものごとは成就すると考えている。潜在意識が成功へと導いてくれるのである。

経営の課題や諸問題に悩み苦しむことは経営者の常だろうが、懸案に没頭し、寝ても覚めても四六時中考え続けるようなことができるかどうか、これがものごとを成就させる分岐点となる。

強く持続する願望は、潜在意識にまで深く浸透する。そして、休息しているときや眠りにつこうとしている瞬間など、いわば懸案から離れているときであっても、潜在意識が働き、成功へのヒントを与えてくれる。

心理学者によると、潜在意識は顕在意識よりはるかに大きな容量を持つという。また、催眠によって意識下を調べる心理学実験では、本人が気づいてもいないようなことを話し出すということも珍しくないという。

実際、私たちは日常生活において、顕在意識だけではなく、潜在意識をも働かせていることが多い。

たとえば、自動車の運転がある。初心者は、「左足でクラッチペダルを踏み込み、同時に左手でシフトノブを動かす。直後にペダルを徐々に戻し……」というように、顕在意識を駆使して運転に集中している。しかし慣れてくると、まったく運転していることなど意識もせずに、考え事をしながらでも平気で運転をしている。それは潜在意識が働いているからできるのである。

しかし、このようになるまでには、全身全霊を挙げて、顕在意識を働かせ続ける過程が必要になる。

つまり、潜在意識を機能させるためには、意識下にまで浸透するだけの強烈な思いが必要となる。案件を軽く受け流し適当に処理しているような状態では、それは決して潜在意識に浸透していかない。

成功しようとするなら、火のように燃える願望を持ち続けることだ。そうすればやがて、その願望は潜在意識にまで浸透し、特に意識をしなくても、願望成就への道へとたどらせるのである。

「見える」ということ

私は社内で、「潜在意識にまで透徹するほどの強い持続した願望、熱意によって、自分の立てた目標を達成しよう」と言い続けている。

強い願望とは、繰り返し考えていくことと同義である。つまり、強く成就を願うのであれば、案件について繰り返しシミュレーションを重ねていかなければならない。

まったく新しいことを成し遂げようとすれば、多くの障害に遭遇するのは当然である。だから、そのような障害への対策を事前にあらゆる方面から検討していく。そのようなシミュレーションを繰り返す中で、自分の頭の中に計画が進行していく様子が鮮明に描かれてくる。

つまり、繰り返し成功へのプロセスを考えているうちに、現実には経験していないことが、あたかもすでに成功したかのようにその様子が鮮明にカラー映像として見えてくる。そこまで考え続けなければならない。

新しい事業に向かい、成功を収めていくには、まさにこのように成功が「見える」ようになるまで、強い思いを持ち続けなければならない。このような深い取り組みがなければ、新境地を切り開くような経営は決してできはしない。

幸運を呼び込む「きれいな心」

能力もあり、また一生懸命に仕事に取り組んでいるのに、なかなか実を結ばない人がよくいる。そういう人を観察してみると、自分のことばかり考えているなど、間違った考え方をしているケースが多い。心が濁っているのである。

成功を収めていく人というのは、先ほど述べた強い願望と同時に、美しく明るい、一点の曇りもない純粋な心を持っている人である。

たとえば「売り上げを伸ばしたい」という目標があるとする。しかし、その目標を掲げたときの心の状態が、「売り上げを伸ばしたい。でも障害がいくつもあって現実には難しい」というような憂いがある状態では実現は難しいし、また「売り上げを伸ばしたい。そうすれば自分の遊興費が増える」というような、私利私欲に端を発した動機であってもいけない。

願望を描く心の姿勢が問われるのである。心に後ろめたい「濁り」や「汚れ」があると、目標を達成することは決してできない。

宇宙の意志にかなった生き方

このことを、私は次のように考えている。宇宙にはあらゆるものを生成発展させる摂理があり、それにかなった考え方や生き方をすれば、必ずうまくいく。

宇宙物理学では宇宙開闢《かいびゃく》に関して、いわゆるビッグバンセオリーが定説になっている。これは、一四〇億年ほど前に一握りの素粒子が大爆発を起こしたのが宇宙の始まりで、現在も宇宙は膨張を続けているという説である。

これによると、大爆発とともに素粒子が結合して、陽子や中性子、中間子が生まれ、原子核が形成される。そして電子が原子核の周りにとらえられ、原子ができ上がる。さらには原子が結合し分子をつくり、分子が結合し高分子をつくり、生命体が誕生する。そして、生命体は進化を繰り返し、この素晴らしい宇宙がつくられていったのだという。

このように、宇宙は一瞬たりとも現状のまま留まることなく、山川草木《さんせんそうもく》すべてが生成発展を続けている。素粒子は素粒子のままであっていいはずである。しかし素粒子は原子に、原子は分子に、分子は高分子に、高分子は生命体となる。そして生命体は今も進化をやめることはない。

このすべてのものが生成発展してやまぬ流れが、宇宙には存在する。それは、宇宙の意志、または宇宙の摂理とも呼べるものではないかと私は考えている。

この森羅万象すべてのものを進化発展させていく宇宙の流れと同調するかしないかで、人生や仕事の成否が決するのではないか。私はそう考えている。この宇宙の流れと調和し、進化発展していくような考え方や生き方をとるならば、人生や事業も素晴らしい成果を残すであろう。

ならば、宇宙の意志と同調する考え方とは何か。それは、あらゆるものを受け入れ、発展させようとする、キリスト教で言う「愛」、仏教で教える「慈悲」であり、言い換えれば、優しく思いやりに満ちた心なのである。

3 思いやる心

「利他」の心

この思いやりや愛というものは、「利他」の心とも言い換えることができる。利他の心とは、自分だけの利益を考えるのではなく、自己犠牲を払ってでも、相手に尽くそうという心であり、人間として最も美しい心である。私は、ビジネスの世界においても、この心が一番大切であると思っている。

しかし、「愛」や「利他」などと言っていたのでは、競争が激しい、いわば弱肉強食のビジネス社会では、失敗することはあっても、成功することなどない、という人も多くいるであろう。そこで、そうではないことを証明するために一つの例を示してみたい。

京セラの米国子会社で、一九九五年にニューヨーク証券取引所に再上場を果たした、ＡＶＸ社という電子部品メーカーがある。その買収から再上場までに至る経緯は、ビジネスにおいても「利他」の精神がいかに重要であり、短期的には多少の犠牲を払っても、長期的には必ず報われるものであることを示している。

ＡＶＸ社との出合い

私とＡＶＸ社との出合いは一九七四年に遡る。当時、ＡＶＸ社の経営者であったマーシャル・バトラー氏が、同社の前身となるエアロボックス社と京セラが結んでいた、あるライセンス契約の破棄を文書で申し出てきた。それが私とＡＶＸ社、あるいはバトラー氏との出会いであった。

そもそも、一九七〇年代初め、セラミックスの積層技術を応用した大容量の複合コンデンサの将来性を確信していた私は、米国のエアロボックス社がすでに積層コンデンサの製造技術を確立していることを知り、その技術を導入することを決めた。

そのときに交わしたライセンス契約は、京セラが日本で積層セラミックコンデンサを製造し、全世界で販売するとともに、日本国内について独占的に販売できるというものであった。

その後、エアロボックス社は二社に分かれ、積層セラミックコンデンサを扱う会社がAVX社となり、そのトップにバトラー氏が就任した。就任後バトラー氏は、同社の前身であるエアロボックス社が京セラとの間で交わしていたライセンス契約の内容を知り、先ほどの契約破棄の申し出となったのである。将来性のある日本のエレクトロニクス市場で「自分たちが積層セラミックコンデンサを販売できない」という契約内容が、自社に著しく不利なものであると感じられたのであろう。当社に対して、この契約を破棄したいという手紙を送ってきた。

ライセンス契約を自ら破棄

すでに契約は京セラとエアロボックス社の間で交わされており、そのうえ日本国内における独占販売権までを含めて京セラはライセンス料を支払っていた。一般的には、バトラー氏の申し出に応じる理由はまったく見いだせない。しかし、私はそうは考えなかった。

私は、「人間として何が正しいか」という原理原則から考えを進めた。そして、「この契約は法的には問題はない。しかし原理原則という観点に立つといかがなものか。確かにバトラー氏が言うようにフェアではない。京セラにとって一方的に有利すぎる。解消することが正しい道だ」と考え、私はバトラー氏の申し出に応じて、両社の契約から日本における京セラの独占的販売権の部分を削除することにした。

当時、AVX社に在籍し、同社最高経営責任者ならびに京セラの専務を務めたベネ

ディクト・ローゼン氏は、米国誌『フォーブス』（一九九五年一一月号）のインタビューで、

「そのとき、バトラー氏は契約（京セラとエアロボックス社間の積層セラミックコンデンサに関する契約）は不公平であると主張した。すると驚いたことに京セラの社長であった稲盛和夫氏もそれを認め、契約を改めた。これによって京セラは大きな利益を放棄したと思うかもしれないが、そのような見方は長期的な利益を見過ごしていると言える。このことによって両社に友好関係が樹立されたのだ」

と述べ、後に京セラがAVX社を買収する際に、このときに生まれた友好的な関係が大きく寄与したことを認めている。

しかし、私はAVX社買収時にはそのようなことはすっかり忘れていた。今述べたエピソードを思い出したのは、AVX社がニューヨーク証券取引所に再上場を果たした後になってからである。

株式交換を提案

ＡＶＸ社買収を決断するに際しては、私は純粋にビジネスとしてとらえ、京セラグループの将来展開を考える中で決断した。

京セラのグローバル戦略を進めるためには、ＡＶＸ社のように世界的にも有力な電子部品メーカーをグループ内に有し、多様な電子部品を供給できる体制を備えた総合電子部品メーカーとなることが不可欠である、と判断したのである。つまりビジネス戦略に基づいて行なった合理的判断であった。

相手を思いやることの大切さを、私は説き続けているが、ビジネスを実際に進めていくうえでは常に合理的な戦略がなければならない。大切なのは、戦略を実行するときのやり方である。相手のことを思いやるような、人間としてとるべき、正しい方法で進めることが求められる。

一九八九年、AVX社の会長であったバトラー氏に私は、「お互いに力を合わせて、世界のエレクトロニクス産業の発展のために、電子部品メーカーとしての立場から貢献しようではありませんか」と買収を申し入れた。バトラー氏は、快く承諾し、どのような方法をとるかが問題となった。

いろいろな方法の中で、私は株式交換を提案したところ、バトラー氏はすぐに受け入れてくれた。そこで、当時ニューヨーク証券取引所で二〇ドル前後であったAVX社の株式を五割増しの三〇ドルと評価し、その株を同取引所で取引されていた京セラ株(ADR=当時八二ドル)と交換することにいったん話が決まった。

ところがすぐに、バトラー氏から三〇ドルでは安すぎるからもう一割ほど上げて三二ドルにしてほしいという申し出があった。京セラの常務でもある米国統轄会社のロドニー・ランソーン社長や、米国の弁護士は皆、そのような申し出に応ずることには反対であった。相手の言い分を簡単に受け入れては、今後の交渉に当たって際限なく要求をふっかけられ、当社にとって不利になるというのが、その理由であった。

しかし私は、バトラー氏にしてもAVX社の株主に対する責任もあるだろうから、一ドルでも高くなるように要求するのは当然と考え、一割増しの要求に応じた。

重なる変更要求を受諾

ところが、実際に株式を交換する一九八九年一二月になると、ニューヨーク証券取引所でダウ平均の株価が下落したため、京セラの株も一〇ドル近く落ちて七二ドルとなった。それを見たバトラー氏から再び連絡があり、八二ドル対三二ドルで交換することに決定していた条件を、京セラの株が七二ドルに下がったのに合わせ、七二ドル対三二ドルに変更してほしいという申し出があった。

これにはさすがに私も、「京セラの業績が悪くて、当社の株価だけが下がったのなら私たちにそのようにする責任はあるが、市場全体が下がったのだから、交換比率の変更の必要はない」と言った。

それでもバトラー氏は、「理屈はそうかもしれないが、我々にも多くの株主がおり、現実に七〇ドル近くになっている株を八二ドルで交換するわけにはいかない」と、あくまで強硬に交換レートの変更を主張した。

もちろん、ロドニー・ランソーン社長や弁護士たちは皆大反対であった。「市場全体の株価が下がっているのだから、申し出に応じることはない。私たちの主張のほうが道理にかなっている」と相手の申し出を突っぱねるべきだという。

しかし私は、バトラー氏の株主に配慮する心情を汲み、この新しい交換レートで買収の採算が合うのかどうか、改めてシミュレーションを繰り返してみた。そして、我々が努力すれば、何とかそれでもこの買収を成功させることができると確信が持てるようになり、再度の不利な条件変更にも応じることにした。

ＡＶＸ社の急成長

これら一連の判断は、打算でもなく、情にほだされたものでもない。買収や合併とはまったく文化の違う企業が一緒になることであり、企業間の結婚のようなものである。それなら、最大限相手のことを思いやる必要があると考えたのである。

買収後、京セラの株価は右肩上がりに上昇し、ＡＶＸ社の株主の方は大きな利益を得て大いに喜ばれた。その喜びは、ＡＶＸ社の従業員に伝わり、買収された側の従業員に生まれがちな、買収した会社に対する反感や不平不満も生まれることなく、両者には最初からいいコミュニケーションが生まれることになった。

このことは、ＡＶＸ社において京セラの経営哲学や経営システムを、特別な反感や抵抗もなく受け入れてくれる土壌となった。そして、同社は買収後五年足らずという短期間でニューヨーク証券取引所への再上場を果たしたのである。

このＡＶＸ社の再上場は、京セラにも、一九九六年三月期で約三四六億円という株式売却益と、約一四七六億円（一九九五年九月末時点）という含み益をもたらすこととなった。

また、この買収の後、同社は急速な成長を続け、売上高は買収前の一九八九年度の約四億二二〇〇万ドルより、買収五年後の一九九四年度には約九億八八〇〇万ドルと、約二・四倍となった。また、利益はこの間五・五倍の一億一〇〇〇万ドルとなっている。

バブル期には、多くの日本企業による米国企業の買収があったが、その後撤退や売却などが相次いだ。ＡＶＸ社ほど、成功した例は他にないのではなかろうか。

これは、「利他」の心の結実だと私は考えている。相手を大切にし、思いやるという行為は、一見自分たちが損をするように見えても、いずれ思わぬ成果をもたらしてくれるものなのである。

4 「情けは人のためならず」

人助けからの決断

私は、経営の世界においても、「思いやりの心で誠実に」ということが大切だと思っている。言い換えれば、「商いには相手がある。相手を含めてハッピーであること。皆が喜ぶこと」ということが経営の鍵だと考えている。

この「思いやりの心」が経営の世界でも大切なことであり、さらにはその恩恵は巡り巡って自分にも返ってくるという実例を、次にお話ししたい。

一九九八年、日本の中堅事務機メーカー・三田工業は、倒産の危機に瀕し、京セラに救済を求めてきた。

検討した結果、私はその申し入れを受けることにした。そして、京セラから事業管財人を派遣し、更生計画を推進するとともに、新生「京セラミタ」(現京セラドキュメントソリューションズ)として再生を図ることにした。それは、決して戦略や戦術ではなく、あくまでも人助けからの決断であった。

当初四〇〇億円を超える債務があり、一〇年かかって返済するという更生計画であったが、京セラから派遣した社長以下全従業員が大変な努力を払い、残債を二〇〇二年三月末までに一括返済して、七年も前倒しで更生計画を終結し、新たなスタートを切ることになった。

その京セラミタの社長が、二〇〇一年暮れのグループ全幹部が結集した会議で、涙ながらに次のように話してくれた。

「京セラミタは、収益の上がる企業へと生まれ変わりました。今は社員全員が希望に燃え、喜びにあふれています。考えてみますと、二〇年ほど前に稲盛名誉会長に救われた私が、今度は救う役を仰せつかりました。この運命の巡り合わせを思うとき、本当に不思議な思いがします。かつて会社が傾き、その中で苦しんでいた私を、稲盛名誉会長をはじめ京セラの皆さんに救っていただいた、そのご恩に報い、三田工業を再建することで恩返しできる喜びを、今しみじみと感じています」

実は、サイバネット工業という、トランシーバーを製造販売していた企業がかつてあった。一九七〇年代、アメリカでシチズンバンド（市民無線）と言われる無線通信が爆発的に普及し始めたのに伴い、急成長を遂げた。

しかし、単品生産で一気に伸びていった企業にありがちなリスクをはらんでいた。実際に数年後、トランシーバーの規格変更と日本からの輸入規制が始まり、それまでアメリカのバイヤーから、矢のような催促を受けてフル生産していたのが、一転、注文が途絶えてしまった。三カ所の工場、二六〇〇名の従業員を抱えていたサイバネット工業は窮地に陥ることになった。

そのため、京セラに救済要請があったのだ。私はサイバネット工業の社長とお会いし、従業員を助けてほしいという、その思いに強く心を打たれた。またその会社の幹部たちと酒を酌み交わし、一緒にやれる方々だという思いを強くもした。そして、京セラグループに入っていただくことを決めた。それは、サイバネット工業を助けてあげることは人助けであり、人間として正しいことであると考えたからである。

誰にも負けない努力と絶えざる創意工夫

もちろん、単に人間として正しいことだから人助けをした、善きことをしたというだけで、事業がうまくいくはずがない。サイバネット工業をグループに迎えた我々は、大変な苦難を強いられることになった。

まずは、急遽ハイファイステレオなどを製造し、アメリカ市場向けに輸出を始めた。しかし、技術の蓄積やブランド力があるわけでもなく、にわかづくりであったために、なかなかうまくいかない。私も何度もニューヨークに足を運び、ダウンタウンに住んでいるユダヤ人のバイヤーを相手に厳しい交渉を繰り返したことを思い出す。

また、模索する中で、プリンタをやろうと考え、電子写真方式のプリンタの開発製造に挑戦した。

しかし、これもうまくいかない。サイバネット工業が持っていた技術を少しでも活かそうと考えたのだが、それは求められる技術の一部でしかなく、開発は困難を極めた。必要な資金や人材を投入し、相当な時間もかけて、開発に努めた。その結果、何とか製品開発に成功することができたのだが、それからも一筋縄にはいかなかった。

よく覚えているのは、何とか有機感光ドラムを使ったプリンタができ上がり、引き合いがあったヨーロッパに輸出したときのことである。

ヨーロッパに到着したプリンタのテストを行なってみたところ、印字ができないなど、正常に機能しないという。調べてみると、製品を船便で送るのだが、日本を出港し、赤道を越えてインド洋を渡り、スエズ運河を通り、ヨーロッパに到着したときには、貨物船船倉の高温多湿な環境の中で、有機感光ドラムが本来の性能を失ってしまっていたのである。急遽、感光ドラムを空輸することにし、解決を図るなど苦心惨憺をした。

しかし、我々はそれでも、ひたむきにサイバネット工業の流れを組む、京セラの情報機器事業の育成に努めた。次から次へと創意工夫を重ね、まさに執念のようにして、新しい事業の育成に努めていったのである。

本当は、当初手がけていたトランシーバーのビジネスが消滅し、次に取り組んだハイファイステレオのビジネスが挫折したなら、もう機器事業からの撤退を考えることになろう。しかし、我々はまさに「ネバーギブアップ」で、さらに電子写真技術の育成に努め、プリンタビジネスに果敢に挑戦していった。

それも、前述のように有機感光ドラムを使った製品展開に四苦八苦する中で、アモルファスシリコンという材料を使った、長寿命を誇る、画期的な感光ドラムの開発も同時に進めていた。そして、そのアモルファスシリコン感光ドラムを用いたプリンタが完成し、ようやく京セラのプリンタ事業が軌道に乗り始めたときに、三田工業との出合いがあったのである。

茨の道が延々と続く先に成功がある

つまり、単に「人助けをすればいい」「善きことをすればいい」ということではない。善きことに努めなければならないのだが、その善きことをしたときに、結果をも本当に良い方向に導いていくためには、辛酸をなめるくらいの努力と、絶えざる創意工夫が必要不可欠なのである。

一般には、善かれと思い、他人様を助けたことで、かえって大変な災難を受けたということが多いものである。たとえば、借金の保証人になってあげた結果、ひどい目に遭ったということをよく聞く。

そうではない。善きことをしたことが、良き結果を結ぶように、人一倍の努力と創意工夫を重ね続けなければならないのである。そうしてこそ、ようやく素晴らしい成果を期待することができる。

今まで私がやってきたことは、すべてそうかもしれない。後に述べるＤＤＩ（第二電電）の経営にしろ、また現在取り組んでいるＪＡＬの再建にしろ、単に「世のため人のため」ということだけで取り組み、うまくいっているわけでは決してないのである。

今までにない、まったく新しいことに挑戦する、あるいは今までうまくいっていないことに取り組むのだから、節々で必ず大変な問題が持ち上がる。それでも挫けず、問題解決に必死になって取り組み、何とか一つひとつ克服していく。そんな茨の道が延々と続く先にこそ、ようやく成功という果実がある。

京セラのプリンタ事業も、苦心惨憺の末にようやく軌道に乗り、またその後、京セラミタの複写機事業と合体させることにより、今では二四〇〇億円を超える売り上げを上げるまでに至った。現在では、中国の東莞市にある大規模工場に加え、ベトナムに新工場を建設中で、これらの生産拠点を核に、さらにグローバルな事業展開を推進している。

つまり、多額の借金を背負って倒産した会社が収益を上げる立派な会社に変身し、明日をも知れぬ不安を抱いていた社員たちが将来への明るい希望に燃えるようになっているのである。

実は、先に挨拶を紹介した京セラミタの社長は、サイバネット工業を京セラが救済したときに、取締役工場長を務めていた者で、その後プリンタ事業を担当し、京セラミタ発足と同時に、再建の先兵として派遣した人物なのである。まさに京セラの情報機器事業の歴史を、身をもって体験してきた人間が、しみじみとその半生を振り返って、運命の巡り合わせについて言及したわけである。

「経営とは合理的なもので、戦略戦術を駆使するものだ」と、一般に思われがちである。しかし、大切なことは、この京セラの情報機器事業の歴史が実証するように、経営の世界においても、人間として正しいこと、善きことを貫くことが大切だということである。そして、その善きことが良き結果を結ぶよう、誰にも負けない努力と絶えざる創意工夫を重ね続けることである。

このことを忘れなければ、古来「情けは人のためならず」と言われてきたように、相手のためと思ってやった善きことが、巡り巡って、大きく自分に返ってくるということも真実になるのである。

第三部 「フィロソフィ」の根底にあるもの2

——稲盛和夫の思想——

2012年、盛和塾にて塾生に語る(前列中央が著者)。

1 動機善なりや、私心なかりしか

京セラ哲学の根底にあるもの

私はすべての判断の基準を「人間として何が正しいか」ということに置いている。この「人間として」というところが大切である。京セラにとって何が良いかということでもなければ、ましてや私個人にとって何が良いかということでもない。一企業や一個人としての利害得失を超えて、人間として公明正大で天地に恥じることがないというような正しい行ないを貫いていこうということだ。これが京セラでは、私をはじめ全社員にとって最も根本的な行動規範となっている。

また事業を行なう以上、必ず利益は上げなければならないが、こうした利益はあくまでも結果であって、事業を行なうプロセスには、事業を通じて「世のため人のため」という大義に尽くす姿勢がなければならない。この大義は私心のまったくない、善なる動機から生まれてくるものである。

このように言うと、「この激しい企業間競争の中で生き残っていけない」とか、「きれいごとでは、他社に打ち勝って利益を上げていけない」と思われる方もいるだろう。しかし、ビジネスにおいても、このような考え方、哲学と言われるものが企業を成長させていく最も根本的な要因となるのである。

第二電電創立への思い

そのことを、私が第二電電（ＤＤＩ）を創立し、電気通信事業に参入して成功した事例を使って説明したい。

私は早くから米国で事業を行なっていた関係で、米国の通信コストが日本に比べて格段に低いことを知り、そのことが同国の産業活動はもとより、国民生活にも計り知れない利便と恩恵を与えていることを痛感していた。

そのため、一九八四年に日本でもようやく電気通信事業の民営化が決まり、長距離通信事業への新規参入が認められることになったときには、必ず国内の大企業がこぞって参入し、長距離通話料金を引き下げてくれるものと大いに期待した。

ところが、強大な力を持ったＮＴＴに対抗して事業を行なうには大変なリスクが伴うためか、民間の大企業が参入の名乗りを上げる気配はいっこうになかった。

さらに、そうした状況を見ている私自身の胸の内にも、既存の大企業が本当にＮＴＴに真正面からリスクの高い戦いを挑み、経営の効率化を徹底して行ない、身を削る思いで国民のために長距離電話料金を安くしようとするであろうかと、疑問に思う気持ちが芽ばえてきた。

既存の大企業によるコンソーシアムができてこの事業に参入したとしても、結局は彼ら自身が電気通信事業における利権を得るだけで、真に国民大衆のためにはならないのではないか、と心配にさえなってきた。

そこで私は、京セラのようにベンチャービジネスとして身を起こしたがゆえに、果敢なチャレンジ精神で事業を展開し、さらには世のため人のために役立とうという経営哲学を実践している企業こそが、国民大衆のために長距離電話を安くする事業に乗り出すべきではないか、と思い始めた。

動機善なりや、私心なかりしか

しかし、そうは思うものの、当時でさえ売り上げが四兆円をはるかに超えるＮＴＴに真正面から挑むには、京セラはあまりにも脆弱であった。

これではまるで槍一本で巨大な風車に立ち向かうドン・キホーテのようなものではないか。このような国家的なプロジェクトは京セラの仕事ではないのではないかという思いも私にはあった。

それでも、長距離電話料金を安くし、国民大衆に貢献できるような事業には、自分のような人間が最も適しているのではないか、という思いを消し去ることができなかった。私の心中では、このようなさまざまな思いが錯綜し、悩み苦しむ毎日が続いた。

そのような毎日の中で私は、就寝前のひとときに、毎晩欠かさず自問自答を繰り返すようになっていた。それは、「私が電気通信事業に乗り出そうとするのは、本当に大衆のために長距離通話料金を安くしたいという純粋な動機からだけなのか。その動機は一点の曇りもない純粋なものなのか」という、自らに対する問いかけであった。「自分を世間に良く見せたいという私心がありはしないか」「単なるスタンドプレーではないのか」、そして「動機善なりや、私心なかりしか」と、夜ごともう一人の自分が私を厳しく問い詰めた。

そうして半年近く経ち、考え悩み抜いた末に、ようやく私自身が「動機は善であり、私心はない」ということを確信できた。そして、私の思い悩む心は跡形もなく消え、いかに困難な事業であろうともこれを実行しよう、という強い決意と勇気がふつふつと湧き上がってきた。事業を始めるための大義名分が定まり、自分を鼓舞するための純粋な思いも確認できたので、それから先は何を恐れることもなく、会社設立に邁進することができるようになった。

不利な状況からのスタート

このようにして、高度情報化時代における、国民の長距離電話料金の負担を少しでも軽減したいという純粋な動機から、電気通信事業への進出が決まった。ところが、いざフタを開けてみると、京セラの他にも二社が名乗りを上げ、新電電は三社でスタートすることとなった。

その三社の中で、京セラを母体にしたＤＤＩは他の二社に比べて圧倒的に不利だという評判が起こった。

経営者である私に通信事業の経験がないこと、京セラに通信技術の蓄積がないこと、そして他の二社のように既存の鉄道路線や高速道路を利用してケーブルを引くことができないため、マイクロウェーブの通信ルートを独自に開拓し、パラボラアンテナを建設するなど、必要なインフラを一から構築していかなければならないこと、などがその理由であった。

さらに営業面でも、他の二社のように多数の関連会社や協力会社を系列に持つ強大な企業グループをバックに持たないだけに、代理店網もゼロからつくっていかなければならないというハンディがあった。しかし、実際にはそのような、ないない尽くしの不利な状況の中でスタートしたＤＤＩが、新電電三社中最も優れた業績を上げ、先頭を走ることになった。

逆境をはね返す

この圧倒的に不利な条件を、どのようにしてはね返すことができたのか。今でも多くの方々が、私にその問いを投げかける。そのようなとき、私はいつも「心のあり方の差なのです。我々が成功したのは、純粋な気持ちでこの事業に取り組んだからなのです」と答えている。

ＤＤＩの創業当時から私は、「国民のために長距離電話料金を少しでも安くしよう。そのために一生懸命頑張ろう」「たった一回しかない人生を本当に意義あるものにしよう」「今、我々は一〇〇年に一度あるかないかという大きなチャンスを与えられている。望んでも得られないような素晴らしいチャンスに恵まれたことに感謝し、この機会を活かそう」とＤＤＩの社員に訴え続けてきた。

これによってＤＤＩでは、社員全員が国民のために役立つ仕事をするという純粋な志を共有するようになり、心からこの事業の成功を願い、全身全霊を挙げて仕事に打ち込み、懸命に努力を続けたのである。

そうしたＤＤＩ社員の姿を見て、代理店の方々も必死で応援し、支えてくれるようになった。さらには多くのお客様も声援を送ってくれるようになった。こうして、私たちを中心に同じような心を持つ人々が集まり、この事業を成功に導いてくれたのである。

ＤＤＩの成功は先に述べた、「人間として何が正しいか」ということを純粋に私心なく貫いていけば必ず事業はうまくいくものだ、ということを証明する一つの実例でもある。

猛反対に遭った移動体通信事業

もう一つの例を挙げよう。これは、ＤＤＩの長距離通信事業に続いて、移動体通信事業に参入したときの事例である。

ＤＤＩを創業したときから、私には「いずれ携帯電話の時代がくる」という確信があった。「いつでも、どこでも、誰とでも」電話で話ができる日が、そう遠くない将来に訪れると予測していた。

京セラが大規模集積回路用のセラミックパッケージを製造していることから、私は半導体関連技術の進歩を理解していた。だから、いずれ携帯電話が掌《てのひら》に載るようなサイズになるであろうことは推測できていた。

さらに私には、ＤＤＩと同じように移動体通信の会社を設立することもまた、国民大衆のためになるという確信があった。そのような思いで、移動体通信事業への参入を自信を持ってＤＤＩの役員会に提案した。

ところが、私の期待に反し、たった一人を除いて全役員が移動体通信事業への参入に反対した。

その理由は、「先行する米国の自動車電話会社はすべて赤字であり、ＮＴＴの自動車電話事業も開始後五、六年経ってもなお大きな赤字を抱えている」「世界でまだ移動体通信事業に成功した例はない」「失敗する確率の高い事業になぜ、創業したばかりで今後どうなるかも分からないＤＤＩが参入しなければならないのか」というものであった。

しかし、私はこの事業が必ず国民のためになるという確信があったので、ただ一人賛成してくれた若い役員と二人で、この移動体通信事業を始めることにした。

ところが、ここでもう一社、大手自動車メーカーの関連会社が名乗りを上げた。

当時日本では、周波数の割り当ての関係で、NTT以外に新たに移動体通信事業に参入できるのは、同じ地域で一社しか認められなかった。そのため、日本国内で事業区域を二社に分割するための話し合いに入ることとなった。

損して得とる

私は、日本列島を単純に東西に分割して抽選によって決める方法を提案したが、相手は首都圏は巨大市場だからぜひ欲しいし、中京圏は地元なのでどうしても譲れないと主張した。

一方、郵政省（現総務省）は抽選などは許されないということで、話し合いはいっこうにまとまらなかった。

そこで私は、企業の格で言うなら格下の我々が譲歩すべきと思い、相手が望む首都圏と中京圏をあえて譲り、我々はそれ以外の地域で事業を行なうことで合意した。

ＤＤＩの役員会でそれを報告すると、他の役員からは「なんと馬鹿げた譲歩か」「東京という最も売り上げの期待できる市場を取られて事業が成立するか」などという非難の声が相次いだ。

その非難はもっともなことで、当時の状況では首都圏と中京圏という最も大きな市場を取られてしまったことが、その後の事業運営にとって致命的な失敗につながるように見えたのは当然かもしれない。

しかし私は、「経営が最もやりやすい東京と名古屋地域で事業をしたいのはどちらも一緒だ。しかし、ここで一方が譲らなければ、移動体通信事業そのものが日本で成立しなくなってしまうかもしれない。国民のためになる移動体通信事業を育てていくためにも、ここは我々が一歩下がり、話をまとめざるを得ない。『損して得とる』『負けて勝つ』という話もあるではないか。確かに私は大変不利な条件で決着をつけた。しかし、たとえ多少不利であっても、移動体通信事業に参入できることに感謝し、成功のために全力を尽くそうではないか」と訴えた。

それでも、ある者は「饅頭のおいしいアンコのところを人にあげ、自分は饅頭の皮のところを、それも遠慮がちに食べているだけではないか」と皮肉った。それに対しても私は、「その通りだ。しかし、皮でも食べていれば死ぬことはない。みんなで努力し、その皮を黄金の皮に変えようではないか」と答えた。このように多くの反対の中、社内を粘り強く説得し、何とか移動体通信事業をスタートさせることができたのであった。

大成功を収める

最初から不利な条件を背負って、移動体通信事業を始めたことは、社員の誰もが承知していた。そのため、事業を成功させるためには、人一倍の努力を払わねばならないこともまたよく分かっていた。結果、全員が、「どうしても負けられない。必ず成功させる」という強い危機意識を持って、事業の立ち上げに尽力した。

首都圏と中京圏以外の各地域にセルラー電話会社八社を設立し、実際に事業を始めてみると、当初の心配とは裏腹に事業は順調に推移し、セルラーグループ八社の業績はどんどん伸びていった。

グループの加入台数は、一九九〇年末には一七万七〇〇〇台と早くも一〇万台を超え、以後、九一年二八万六〇〇〇台、九二年三九万五〇〇〇台、九三年四七万一〇〇〇台と着実に伸ばしていった。圧倒的に不利な地域分割を克服して、首都圏・中部圏で事業を行なっているIDOとの差を徐々に広げ、NTTに対しても予想以上に健闘する勢いを示したのであった。

現在、このセルラーグループはauとなって、NTTドコモとしのぎを削っている。

このように、発足時、圧倒的に不利な条件に甘んじたセルラーグループが素晴らしい事業展開をしていることを考えてみるに、その理由は高い理想と明確な経営哲学を持って経営を進めていったことに対して、神のご加護があったから、ということしか私には思いつかない。

仕事でも事業でも、その動機が純粋であれば必ずうまくいく。私心を捨て、世のため人のために善かれと思って行なう行為は、誰も妨げることができない。逆に、天が助けてくれる、そう思えるのである。

「小異を捨てて大同につく」

二〇〇〇年一〇月一日、ＫＤＤＩが誕生した。その経緯について、振り返ってみたい。

一九八四年、前述のようにＤＤＩを創業した。しかし、ＮＴＴの分離分割は遅々として進まず、ＤＤＩは当初予想もしなかった、市内回線も長距離回線も有する、巨大なままのＮＴＴとの競争を余儀なくされることになった。苦しい戦いであったが、国民により良いサービスをより安く提供することは、善きことであるという、その一心で懸命に経営を続けてきた。

そして、一九九九年七月にＮＴＴは、ようやく分離分割されることになった。しかし、フタを開けてみれば、ＮＴＴは純粋持ち株会社として残り、東日本、西日本、長距離部門などが形式的に分割されただけであった。しかも、ＮＴＴドコモまでもがグループ傘下に入り、さらには国際通信部門も持てるようになった。結局、ＮＴＴグループは以前にも増して巨大化し、一体的な経営ができるということになってしまったのである。

このままでは日本の情報通信産業の健全な発展は不可能になる。強い危機感を抱いた私は、ここは「小異を捨てて大同につく」、つまりＮＴＴの対抗勢力がその個々の利害得失を超え、大同団結するしかないと考えた。

具体的には、携帯電話分野でNTTドコモに対抗するため、私が経営を統括するセルラーグループとIDOとの合併が必要になろう。また、国際、長距離通信分野では、NTTコミュニケーションズに対抗するため、KDDと一緒になるべきだろう。そう考えて行動を開始した。

まずはKDD、IDOの筆頭株主であるトヨタ自動車の奥田碩会長や張富士夫社長にお会いした。また、KDDの中村泰三会長や西本正社長にもお会いした。私は国民のため、日本の情報通信産業を健全に発展させるには、何としてもNTTに対抗できる勢力をつくらねばならない。そのためには「小異を捨てて大同につく」以外にない。一企業の利害を乗り越えて、大義についていただけないだろうか、そうお願いをした。

皆さん、素晴らしい見識をお持ちの方々ばかりで、それぞれの利害得失はあろうが、大義を説く私に共鳴いただき、現在のKDDIが誕生した。

企業文化が異なる三つの会社が一つになった。そのような場合、往々にして、社内対立が横行したりするものだが、このKDDIは各々の長所を活かしていくことにより、まさに二一世紀の日本の情報通信を担う企業へと成長しつつある。これも、「国民のため」という純粋な思いを動機として設立し、その思いを全社挙げて共有してきたからだと考えている。

善の循環、愛の循環

もう一つ、KDDIに関わるエピソードを述べておきたい。

KDDIグループに沖縄セルラーという会社がある。沖縄において携帯電話事業を行ない、同エリアではシェアナンバーワンを誇っている。なぜそのような強さが発揮できているのか。その設立の経緯に遡って話をしたい。

私が、初めて沖縄を訪れたのは一九七五年、あるホテルのオープニングに招かれたときのことだった。

沖縄は、その踊りや歌などに見られるように、他の地域には見られない、独特の素晴らしい文化を育んできた。そんな沖縄の風土に直接触れ、「これほど特徴のある独自の文化を築き上げたのであれば、立派な独立国ではないか」と、思ったほどであった。

一方で、沖縄は辛酸をなめ尽くすかのような歴史をたどってきた。長く、大国中国の支配下に置かれ、江戸時代には私の出身地である薩摩藩に搾取され、さらには第二次世界大戦では本土防衛の先駆けとして、大変な犠牲を強いられた。特に、薩摩藩が圧政を敷き、搾取を重ねたという歴史が私には気にかかり、薩摩隼人の一人として、「本当に申し訳ない。お詫びしたい」という思い、何とか償うことができないものか、という贖罪の気持ちを抱いていた。

そんな心境でいた一九九〇年のこと。当時、日本興業銀行特別顧問であった中山素平氏の肝いりで、本土と沖縄の経営者が集まり、沖縄の経済発展を促すための「沖縄懇話会」が設立された。私もその会員に推挙され、以来「沖縄の発展のため、何をしてあげられるのだろう」と考え始めるようになった。

沖縄返還以来、日本の経済界はさまざまな支援を行なってきた。しかし、本土資本が自らの利益のために動くだけで、本当の意味での沖縄の経済支援にはなっておらず、沖縄の人たちを豊かにすることにつながった例は少ないという。

そこで私は、沖縄への真の経済支援として、先に述べた携帯電話事業を行なうセルラー電話会社を設立するに当たり、あえて沖縄単独の会社設立を提案したのである。

本来、沖縄は単独の経済圏として成立せず、あくまでも九州経済圏の一部であり、行政的にも九州の管轄下に入ることが多い。そのため、もともとは九州地域を受け持つ九州セルラー電話会社の管轄下に入れる予定だった。

しかし、「沖縄の人たちのために何かしてあげることができないか」と、常に考えていたため、「沖縄に単独の会社をつくってあげるべき」と考えるようになったのである。

そして、沖縄懇話会の席上で、「沖縄は独立国家みたいなものでしょうから、九州の会社の一営業地域ということではなく、独立した沖縄セルラー電話という会社をつくろうと思います。沖縄の経済界の皆さんは出資してくださいますか」と尋ねた。

すると、沖縄の経済界からは、「本土からやってきて、地元のためになる提案をしてくださったのは、あなたが初めてだ」と大変喜ばれた。そして、沖縄を代表する企業をはじめ、地元の多くの方々から出資を受け、沖縄セルラー電話会社を設立することができたのである。

会社設立に当たって、株主としては、当時のＤＤＩがマジョリティを持ったが、四〇パーセントほどの株式を地元沖縄で持ってもらうことにした。一方、役員人事に当たっては、会長と役員一名だけはＤＤＩから派遣したが、社長以下はすべて、沖縄の方に務めていただいた。

このような設立のいきさつがあったことから、沖縄セルラーの出資者、役員、社員の皆が大変意気に感じ、まさに「我々の会社だ」という思いで、必死に会社を盛り上げていったのである。

結果、沖縄セルラーは創業以来、快進撃を続け、全国で唯一、NTTドコモを上回る、ナンバーワンのシェアを誇り、一九九七年には上場も果たし、現在も業績は順調に推移している。

私は今、KDDIでは役員を退き、最高顧問という肩書が残るだけだが、この沖縄セルラーだけは取締役相談役という職にある。「元気な間くらいは……」と考え、給料は一切もらっていないが、今も務めている。

美しく善き思いをベースとして、「会社をもっと大きくしていきたい」「事業をもっと広く展開していきたい」と懸命に努力すれば、必ず成長発展を遂げる。そればかりか、従業員、お客様、取引先、株主、また地域社会など、企業を取り巻くすべての存在と調和して、その繁栄を長く持続していくことができる。

いわば、「善の循環、愛の循環」とでも言うべき、素晴らしい潤いのある世界が、この沖縄セルラーに結実しているのである。

2 世のため人のために尽くす

「稲盛財団」設立の動機と決断

なぜ企業の一経営者であった私が、稲盛財団のような、学術顕彰を行なう財団を設立するに至ったか。その動機と経緯を説明したい。

私は、二七歳のときに京セラを創業して以来、ファインセラミックスの開発と、会社経営に心血を注いできた。結果、幸いにも会社が順調に成長を遂げたことから、技術開発や事業経営の面でいろいろな賞をいただく機会に恵まれた。

その中の一つに、一九八一年にいただいた「伴記念賞」(当時)があった。これは、東京理科大学の伴五紀《ばんいつき》先生が、技術開発で貢献のあった人物を顕彰されているもので、私は単純に光栄に思い、授賞式に臨んだ。しかし、伴先生にお目にかかり、自分が恥ずかしくなった。

先生はご自身の研究における特許収入で懸命に顕彰事業に努めておられた。一方、私は上場企業を創業し、結果として相当の私財を持つことになった。そんな私が嬉々として、いただく側にいる。「これで良いのだろうか、本当は私が差し上げる側に回らなければならないのではないか」と強く感じたのである。

そのときから、自らの人生で得た資産を、何らかの形で世の中にお返ししなければいけないと考え始めた。

その頃、日本IBM社長であった椎名武雄氏が主催しておられた「天城会議」にご招待いただき、京都大学の矢野暢《とおる》先生にお目にかかった。そして、それ以降、折に触れ、お話をさせていただく機会が増えていった。

一九八二年頃、矢野先生から「京都学派の人たちが議論する場が京都にあればいいと思うのです。稲盛さん、経済人として支援してくださいませんか」とのお話があり、学界と経済界の間で知的交流をする「京都会議」を始めた。

哲学の田中美知太郎先生を座長に、元京都大学総長の岡本道雄先生、数学の広中平祐先生、ギリシャ哲学の藤澤令夫《ふじさわのりお》先生、ノーベル化学賞を受けられた福井謙一先生、霊長類学の伊谷純一郎先生など、錚々《そうそう》たる方々に参加いただいた。

一九八三年頃であったか、先ほどの伴記念賞での思いを、矢野先生に話したところ、「それは良いアイデアです。ぜひ、実行されたらどうでしょうか。しかし、どうせされるなら、ノーベル賞のような素晴らしい賞をつくられるべきです。私はノーベル財団と親しいので、よろしければお手伝いしましょう」と言ってくださった。そのときはただ聞いていたが、その後、元資源エネルギー庁長官であった森山信吾さんに相談した。

森山さんは私と同じ鹿児島出身で、「退官後は、一切通産省（現経済産業省）のお世話にはなりません」と、自ら決めて京セラに来てくれた方である。私が「若いうちは社会に還元したいと言っていても、年がいったらだんだん惜しくなって、やめてしまう人が多い。私も京セラの株をいくらか持っているので、社会に還元しなければならないと思う。しかし、周りから年齢的に少し早いのではないかと言われ、迷っている」と言うと、「いや、早くありません。ぜひ、すぐにやるべきです。私は通産省時代に財団をいくつもつくりましたのでお手伝いします」と、後押しをしてくれた。

こうして、一九八四年四月に、私が保有していた京セラの株式と現金を合わせた、二〇〇億円相当を基本財産として、稲盛財団が設立された。

またこの頃、偶然にご紹介いただいた、伊藤忠の瀬島龍三相談役（当時）に、この財団設立のお話をしたところ、「それは良いことです。私がお役に立てるようなことがあれば、何でもおっしゃってください」と、ご親切にも言ってくださった。このご縁から、後に稲盛財団の会長就任をお願いしたところ、快く引き受けてくださり、その後、大所高所よりご指導いただくことになった。

ノーベル財団との交流

顕彰事業を行なう旨の発表を行なって間もなく、矢野先生にご紹介をいただき、ノーベル財団に表敬訪問に行った。

専務理事（当時）であったラメル男爵に、我々の顕彰事業の計画をお話ししたところ、「それは大変結構なことです。ノーベル財団としても心から支援しましょう」と言っていただけた。

そのとき、「ノーベル賞のような国際的な顕彰を行なううえで重要なことは何か」とお聞きしたところ、「国際的な視点での審査の公平さと厳正さ、そして継続することによる賞の権威です」と教えていただいた。我々は、ノーベル財団に敬意を表し、第一回京都賞において、ノーベル財団に対し特別賞を贈ることを決めた。

また、ノーベル賞にその理念としての「ノーベルの遺言」があるように、稲盛財団を創設し、京都賞という顕彰事業を行なうに当たり、私は「京都賞の理念」をつくり、その後の京都賞の審査、運営は、必ずこの「京都賞の理念」に沿って行なうこととした。

その理念の中で、私は自らの人生観である「人のため、世のために役立つことをなすことが、人間として最高の行為である」ということを第一に掲げた。以前より私は、自分を育んでくれた人々、人類社会、また世界のために恩返しをしたいと考えており、その思いをどのような形で実践すべきかいろいろと思案していた。

また常々、世の中には人知れず努力している研究者が多くいるのに、そうした人たちが受賞を心から喜べる賞があまりにも少ないと感じていた。そのような方に報いることも、京都賞創設の理由として盛り込むことにしたのである。

さらに現在、科学文明の発展に比べ、人類の精神面における探求は大きく後れを取っている。しかし、この科学技術と精神は決して対立するものではなく、両者がバランス良く発展を遂げなければ、将来、人類に不幸な未来を招きかねないと私は考えていた。

このことから、京都賞が科学文明と精神文化のバランスの取れた発展に寄与し、ひいては人類の幸福に貢献することを強く願うということも、理念の一節に加えた。

現在、京都賞の審査を行なう際にも、審議が行き詰まってくると、委員の先生方が「それではここでもう一度『京都賞の理念』に立ち返って、審議し直してみましょう」と、常に念頭に置いていただくなど、まさに生きた理念となっている。

京都賞の三部門

さて、財団を創設し、顕彰事業を行なうに当たり、どのような賞を設けるかが問題となった。基礎科学の分野では、すでにノーベル賞が生理学・医学賞、物理学賞、化学賞と三部門を設けている。しかし、それらの応用技術面に焦点を当てた賞はない。

そこで、工学部出身者たちが対象となるであろう先端技術部門、そして基礎科学部門の二賞を設けることにした。

加えて、「精神科学・表現芸術」を顕彰する部門を設けた。後に、「なぜ、京都賞に精神科学・表現芸術部門を設けたのか」というご質問をよくいただくことになった。それは、「京都賞の理念」でも触れたが、次のような思いからであった。

二〇世紀は科学技術の面で、非常に大きな発展を遂げた世紀であり、一〇〇周年を迎えたノーベル賞の歴史を見ても、その貢献の大きさは明らかである。

一方、現代の社会を見れば、科学技術がもたらし、我々が享受している物質文明に比べ、倫理や道徳を含めた精神面の探求において、その進展を実感することは難しくなっている。そのためか、テレビや新聞では毎日のように、戦争や抗争、暴力のニュースが流れ、国民の規範となるべき政治家や官僚、そして企業トップまでもが不祥事を繰り返している。

果たして、このようにモラルが荒廃した社会において、「神業《かみわざ》」にも似た高度な科学技術は、正しく運用されるのか。科学技術だけが先行し、それを駆使する人間の精神の成長が伴わなければ、人類の未来は大変なことになるのではないか。

そんな現代社会に警鐘を鳴らす意味で、京都賞にはぜひ、人間の精神に関する活動を顕彰する部門を設けたいと考えたのである。それは、多くの人々の思うところでもあり、現在では、「思想・芸術部門」と名称を改めているこの部門があることが、京都賞の大きな特色の一つであると言われるまでになっている。

各部門の授賞対象分野

こうして京都賞は先端技術部門、基礎科学部門、精神科学・表現芸術部門の三部門を顕彰対象としてスタートし、受賞者には賞金四五〇〇万円と京都賞メダル、ディプロマ（賞状）を差し上げることにした。

ただ三部門といっても、その対象とする分野は非常に多岐にわたることから、部門ごとにさらに四つの分野に分けて賞を贈呈することにした。

たとえば、先端技術部門の四分野は、エレクトロニクス、バイオテクノロジーおよびメディカルテクノロジー、材料科学、情報科学の四分野とした。それぞれ二〇世紀後半に花開き、二一世紀にさらに発展するであろう分野ばかりで、先ほど述べた応用技術と言われるものである。

ノーベル賞は基礎科学を重視し、授賞対象を定めているが、いかに素晴らしい発明発見であっても、それを実用化するには発明発見に勝るとも劣らない努力が必要である。そうした苦労によって実現された技術や製品が、現在、そして未来の人類社会の幸福に大きく貢献していることは言うまでもない。

同様の理由から、基礎科学部門の四分野は、生物科学、数理科学、地球科学および宇宙科学、生命科学とした。

そして、先ほども述べたように、京都賞の三部門の中で最もユニークな部門と言われる、精神科学・表現芸術部門は、音楽、美術、映画・演劇、哲学・思想の四分野とした。

京都賞の審査

ノーベル財団のラメル専務理事のアドバイスにもあったように、顕彰事業においては、公平・公正な審査が何よりも大切であり、そのことから、京都賞の審査機関を次のようにした。

京都賞の審査は、各部門ごとの専門委員会と審査委員会、さらに全部門を審査する京都賞委員会からなる三審制で行なわれる。そのプロセスを、順を追って説明したい。

稲盛財団では、まずその年の該当分野を専門とする世界中の研究者に対し、京都賞への推薦を依頼する。そのようにして世界中から推薦をいただいた候補者を、まず専門委員会で審査する。

専門委員会は、それぞれの候補者を専門的見地から審査し、各部門上位三名の候補者に絞り込み、結果を審査委員会に提示する。

審査委員会は、専門委員会での結果を尊重しつつ、改めて審議を行ない、三名の候補者を京都賞委員会に提示する。

京都賞委員会は、専門委員会、審査委員会での審議経過をもとに、審査委員会から提示された上位三名の候補者を中心に、京都賞の理念に照らし、総合的な立場から最終候補者を内定して、財団の理事会に上申する。

そして最終的に理事会の承認を受け、その年の各部門における京都賞受賞者を決定する。

以上が審査のプロセスであるが、京都賞の各賞は四つの分野に分かれ、受賞分野が年ごとに変わるために、毎年審査をいただく選考委員を選び直さなければならない。

一つの審査には約三年をかけ、一年目は選考委員を選ぶ年、二年目は理事会で選考委員の承認を得、就任依頼をし、候補者の推薦依頼をする年、そして三年目は約半年かけて審査・選考を行ない、受賞者を決定し、授賞式を行なう年となる。

当初はこの選考のための委員会に、外国人も入れて審査すべきだという意見もあったが、私は日本の識者の見識を問う場として、あえて日本人だけで審査をしようと決断した。

結果として、過去の京都賞受賞者の中から五名が、その後ノーベル賞を受けることになった。日本人の専門家だけで続けてきた京都賞の審査ではあるが、その評価は世界的に認められることになったのである。また、これは京都賞の選考の見識の高さを示しているものと自負している。

京都賞の授賞式と関連行事

こうして選出した受賞者を迎え、毎年、紅葉が美しい京都の街で、京都賞贈呈のための一連のイベントを行なっている。毎年一一月一〇日に授賞式、翌一一日に記念講演会、一二日にワークショップと、日程を決めて実施している。

まず、京都賞授賞式である。錦繍《きんしゅう》に彩られた秋の京都で、稲盛財団の名誉総裁である高円宮《たかまどのみや》妃《ひ》久子《ひさこ》殿下《でんか》にご臨席賜り、厳粛で華やかな式典が行なわれる。また、この授賞式には各国大使、総領事、また日本の政官界、経済界、学界から千数百名の方々に参集いただいている。

式典は、京都市交響楽団による、オリジナルな京都賞序曲の演奏で幕開けとなる。続いて、毎年交代で、観世流と金剛流による奉祝能《ほうしゅくのう》が厳かに舞われる。

次に、各部門の審査委員長による贈賞理由の説明があり、各受賞者には、稲盛財団会長から、京都賞メダルとディプロマが贈られる。

受賞者に贈られる京都賞メダルは、日本彫金界の第一人者で、文化勲章受章者の故帖佐美行《ちょうさよしゆき》氏製作による二〇金のメダルに、京セラ製の再結晶宝石「イナモリストーン」のルビーとエメラルドが八個飾られたものである。またディプロマには、臨済宗妙心寺派管長による墨書《ぼくしょ》が添えられている。

その後、各受賞者の紹介がある。生い立ちや、家族との思い出、研究室での風景など、それぞれの人柄を感じることができる写真とナレーションによる紹介である。授賞式プログラムの最後は子供たちの合唱である。京都の子供たちによって歌われる、懐かしい童謡が会場一杯に響き渡る。

なかでも、毎年決まって歌われる『青い地球は誰のもの』という合唱曲は、京都賞授賞式を終え、感無量の受賞者および出席者の心に迫る美しい旋律で、私は何度聞いても、胸が熱くなる。

その夜は、受賞者を祝う晩餐会が行なわれ、毎年八〇〇名の方々に参加いただいている。和やかで楽しい会で、祇園の芸妓衆《げいこしゅう》による伝統芸「手打ちの儀」や、美しい優雅な踊りも披露されるなど、京都の華やいだ雰囲気も楽しんでいただけるよう、趣向を凝らしている。

この晩餐会には日本に駐在する各国大使、総領事をはじめとする多くの諸外国の方々が参加されている。そうした方々から、「このようなことは本来、国家としてすべきことかもしれません。京都という素晴らしい文化と歴史を有する地で、その文化の粋を集め、民間の財団がこのようなことをやっていることに敬意を表します」とのお言葉をいただき、嬉しく思っている。

授賞式翌日は、一般市民を対象とする記念講演会である。京都賞では受賞に当たり、受賞者本人に京都にお越しいただき、授賞式・晩餐会はもとより、市民への記念講演会、そして研究者とのワークショップに出席していただくという条件をつけている。

それは、偉大な人物の言葉や姿、考え方に直接触れることが、人々の知的好奇心を喚起すると考えているからである。

講演会の翌日には、専門家とのワークショップが行なわれる。専門分野を同じくする日本の研究者との交流は、受賞者にとっても大変重要な時間である。授賞式が終了したにもかかわらず、このワークショップの準備のために、京都観光にも出かけず、ホテルの部屋にこもって一生懸命準備をされる受賞者も多い。

また、受賞者が日本の小中高生に授業を行なったり、大学生と対話したりする機会をつくっている。若い人たちには難しすぎると思われる向きもあろうが、若いうちに世界の知性とも言うべき人物に接することは、若い人たちの人生にとって必ず糧となろう。

受賞者は皆、自らの半生をかけて仕事に打ち込んでこられた方々ばかりである。それだけに、その言葉の一つひとつに含蓄があり、若い人たちの琴線にも強く触れるようである。中には、受賞者が驚くような大胆かつ斬新な質問をする生徒もいると聞いている。

善意の連鎖反応

京都賞の賞金は、当初ノーベル賞の賞金五〇〇〇万円（当時）に敬意を表し、四五〇〇万円でスタートしたが、その後、ノーベル賞自体が賞金を増額されたこともあって、第一〇回京都賞より一賞五〇〇〇万円に増額している。

この賞金の使途については、京都賞授賞式終了後に行なわれる共同記者会見の席でも、受賞者がよくいただく質問である。おそらくはご自身の研究資金として使っていくのだろうと考えていたが、実際にその使い道を伺ってみると、社会へ還元される方が多いことに驚く。

たとえば、第三回精神科学・表現芸術部門の受賞者であるポーランドの映画監督、アンジェイ・ワイダ氏は、賞金をもとに「京都-クラクフ基金」を設け、ポーランドに日本美術を紹介するセンターをつくられた。

また、第一三回基礎科学部門受賞者で、熱帯生態学の興隆に大きな貢献のあったダニエル・ハント・ジャンセン博士も、ご自身の賞金の全額を、熱帯林の保護に充てられた。

さらには、第一五回基礎科学部門受賞者であるウォルター・ムンク博士も、賞金の全額を寄付し、「京都ムンク基金」を設立された。自身が若いときに、研究費で苦労したという経験から、若い科学者や学生の援助に使うという目的であると聞いている。

その他、第一一回基礎科学部門受賞者で、現代宇宙物理学の発展に多大な貢献をされた林《はやし》忠《ちゅう》四郎《しろう》博士は、賞金をもとに、天文学会に「林基金」という賞を設けられるなど、多くの受賞者が賞金を公的な目的のために使っている。

私は、この京都賞を研究一筋に打ち込んできた方々を顕彰したい、という思いで始めた。いわば、研究一筋の人生を慰労するためにさしあげた賞だけに、その賞金をご自身のためにお使いいただければと思っていた。

しかし結果として、多くの方がその賞金を、世のため人のために使っておられることに驚くとともに、私のささやかな思いに、そのような形でお応えいただき、いわば「善の連鎖」が続いていることに、心からの喜びを感じている。

3 心を高める、経営を伸ばす

盛和塾とは

私が、中小中堅企業の若い経営者たちに経営のあり方を教える経営塾、「盛和塾」を始めようと思った経緯から述べたい。

今から三〇年近く前のこと、たまに夜、京都の街に飲みに行くと、京都青年会議所の若い経営者たちと出会うことがよくあった。彼らは会うと必ず、「ぜひ我々にも、会社を成長発展させる秘訣を教えていただけないでしょうか」と頼みに来た。酒席のことでもあるし、そのつど私は、「いずれ時間ができたら」と曖昧に返答していた。

しかし、しばらくすると、彼らから「もう約束してから、何年も経ちます。早く我々に教えてください」と強く請われるようになった。そして、ついには断り切れなくなり、「夜に時間ができたときに話をする、ということでよければ引き受けよう」と始まったのが、盛和塾の前身「盛友塾」である。

いざ始めてみると、そのうちそれを聞きつけた大阪の若い経営者たちが加わり、「ぜひ大阪でも話をしてほしい」ということになり、大阪にも同様の塾ができ、名称も「盛和塾」と改称することになった。すると、今度は神戸の経営者たちが、「ぜひ話を」とやってきて、神戸にも開塾することになってしまった。そして、その渦は滋賀、鹿児島、富山、東京へと各地に広がっていった。

さらには一九九一年のこと、各塾の世話人たちと話す中で、「全国に組織化すべし」という声が高まり、彼らの努力で、燎原の火のごとく日本各地に塾が誕生していくことになった。今ではほぼ全都道府県に計五四塾が開塾し、積極的に活動している。また、今やその渦は海外にまで広がり、ブラジル、アメリカ、中国、台湾と開塾を重ね、海外塾だけで現在計一六塾を数え、塾生数は総八〇〇〇名にならんとする。

盛和塾で何を学ぶか

盛和塾は、「経営のあり方を学びたい」という、真摯な経営者の願いに端を発しているだけに、入塾に当たっては、現塾生による審査を受けなければならない。入塾の動機等について問われるなど、いわゆる「ふるい」をかけられた人たちだけに、盛和塾の塾生たちは業種も企業規模も千差万別でありながらも、皆明確な目的意識を持ち、学びに来ている。

しかし、盛和塾では、「こうすれば経営はうまくいく」といった安直な経営ノウハウを、私が教えるわけではない。また、企業経営で必要とされる会計学や管理会計など経営の手法についても、折に触れ、その要諦をひもとくことはある。しかし、私が彼らにまず伝え、最も繰り返し説くのは、経営者としてのあり方、つまり一人の人間として、「いかに生きるべきか」ということである。

たとえそれがどんな小さな事業であろうとも、一人でも従業員を雇用し、養わなければならない企業経営者に課せられた責任は重い。そんな重責の中で真剣に生きようとしている経営者にこそ、「人生をいかに生きるべきか」ということを教えてあげなければならない、と私は考えている。

なぜなら、それが経営に直結するからである。私は、「経営とは、経営者の器のままにしかならない」と考えている。企業を発展させるには、その経営者が人間的に成長していかなければならない。とりわけ中小企業においては、経営者が与える影響力は想像以上に大きい。その判断が経営を左右し、従業員の運命を決する。そして、その経営者の判断を導くものが、経営者の人間性なのである。

経営者がまずは自分の器を大きくすることに努める、つまり「人間としていかに生きるべきか」ということを学び、実践することを通じて、自らの「心を高める」、そしてそのような経営者の人間的成長が、正しい経営判断を導き、企業を成長発展させることになるのである。

つまり、「心を高める、経営を伸ばす」なのである。この言葉は、長年経営に携わってきた私の「信念」であり、盛和塾のモットーともなっている。

盛和塾でいかに学ぶか

では、「心を高める」ために、この盛和塾では何を行なっているのか。

塾生たちが自主的に学び合う「自主例会」もあるが、私が参加し、一時間ほどの講話を行なう「塾長例会」、また塾生が自らの経営課題を赤裸々に問い、私が呻吟しつつ、その処方箋について答える「経営問答」、さらには塾生が私の教えを通じ、いかに経営を伸ばしたかという実体験を語り、私がコメントする「経営体験発表」がある。

また、これら各勉強会の後には、必ず懇親会が用意されている。そこでは、私のテーブルまでやってきて真剣に問う塾生の質問に答えるうちに、いつも膝詰めで経営指南を行なうことになり、ときに厳しい指導を行なうこともある。そのようなときは、そんな私たちのやり取りを聞くことでも、経営を学ぼうとする塾生たちで、いつの間にか私の周りに十重二十重の人垣ができる。この自然発生的にでき上がる車座は、盛和塾を象徴する光景である。

さらには、そのような「塾長講話」「経営問答」「経営体験発表」といった盛和塾におけるさまざまな学びを記録し、まさに生きた経営の教材とすることができる機関誌『盛和塾』、また「盛和塾ＣＤ」が発行されている。私は、そのような盛和塾における学びの機会を通じて、いつも次のように塾生に説いている。

それは、私が盛和塾で話すことをただ聞くだけではなく、反復して学び、自らの生き方として実践してほしい、言い換えれば、毎日の経営や生活の中で、日々反省しつつ、実践に活かしていっていただきたいということである。

私の経営哲学とは、決して難しいものではない。「人間として正しいことは何か」と自らに問い、「正しいことを正しいままに追求していく」ということである。たとえば、子供の頃に両親や学校の先生から教わった、「嘘をつくな」「正直であれ」などといったことであり、そのようなプリミティブな教えを判断基準として忠実に守り、実践することが大切であると考えている。

しかし、多くの経営者が、そのようなことを教わってはいるが、年を取るに従い、忘れてしまい、実践をしていない。さまざまな経験を重ね、知識が豊富になるうちに、また成功を収めることで、人間は次第に横着になってしまう。そして、子供の頃に教わった、プリミティブな教えを忘れてしまい、独善的に判断し、経営を進めていく。その結果、道を誤ってしまうのである。

成功した経営者には、もともとそれなりの成功要因がある。たとえば、純粋な起業動機を持っている、あるいは誰にも負けない経営努力を重ねている、あるいは素晴らしい着想を持っている、だから成功を収めることができたのであろう。ところが、成功するに従い、そのような素晴らしい資質が変質を遂げ、傲岸不遜に陥っていく。そして、そのような経営者の変質に伴い、業績も下降し、企業は衰退に向かうのである。

せっかく一代で築き上げた企業を、そのようにして破綻に導いてしまう、波瀾万丈型の経営者が世間には本当に多い。特に、中小企業では、一時の成功に酔いしれ、遊びほうけるようになり、せっかく発展させた企業を衰退させ、従業員を路頭に迷わせた例はごまんとある。

「いかに生きていくべきか」「人間として何が正しいのか」ということを常に学び、実践と反省を繰り返していくことに努めない限り、人間とは堕落するようにできている。だからこそ、盛和塾で学んだことを、日々反省を重ねながら、日々実践し続けることの大切さを、繰り返し塾生に説いているのである。

そのように、経営塾でありながら、私が経営者の心のあり方ばかり説いていると、そんな考え方が合わない、あるいは経営のノウハウだけを期待していた人は、やがて顔を見せなくなり、盛和塾には私の説く人間としての生き方に共鳴し、そのような生き方を追求したいという人だけが残ることになる。

そうすれば、まさに〝朱に交われば赤くなる〟というように、同じ志を持った人だけが集まることで、知らず知らずのうちに切磋琢磨が起こる。たとえ一杯の酒を酌み交わすだけでも、問わず語らずのうちに刺激し合い、影響し合う、その渦の中から、素晴らしい経営者が輩出していくことになる。

もともと人材とは、群生するものである。たとえば、明治維新のときに活躍した長州藩士の大半は、松下村塾の塾生であった。また、同じく幕末から明治期に活躍した薩摩藩の人材も、加治屋町という小さなエリア出身者が多い。西郷隆盛、大久保利通、日露戦争でロシアのバルチック艦隊を撃破した東郷平八郎、また、満州奉天でロシア軍を敗走させた大山巌といった、錚々《そうそう》たる明治の元勲が、その狭い地域で群生するように輩出している。

人間というのは、一人では成長できない。志ある者たちが集まり、揉まれ合うことによって、より素晴らしい人間に育まれ、その集団もさらなる成長発展を遂げていく。盛和塾がそういう場であってほしいと心から願っている。

そのような願いがかなったのか、嬉しいことに、塾生の中から上場企業が輩出している。また、現在準備を進めている上場予備軍の企業も多い。そのようにして、多くの塾生が盛和塾で学ぶことで、自らの企業を成長発展させ、その従業員の物心両面の幸福を実現していることが、多忙を極める中、手弁当で活動を進めてきた私にとって、最も嬉しいことである。

すさまじい闘魂と願望を持つ

この盛和塾に身を置くと、「利他」という言葉によく触れることになる。世間一般では、なかなか耳にすることがない、そんな言葉が、あたかも挨拶のように日常的に語られ、また実践されてもいる。そんな企業家が集う団体は、まずもって世界にも少ないのではないかと自負している。

それは、私がことあるごとに、世のため人のために尽くすこと、それが人間として最も素晴らしいことであり、経営においても「利他」の心がいかに大切かということを説いてきたからであろう。このようなことを素直に理解し、経営において、人生において、実践に努める塾生が数多く存在することは本当に素晴らしいことである。

しかし、誤解をしてはならない。いくら「利他」が大切だからといって、競合他社に利を譲り、自社が不利益を被るということを、私が推奨しているわけでは決してない。経営とは厳しい世界であり、市場における厳しい企業間競争に勝ち抜かなければ、どのような企業であれ、いずれ淘汰されてしまうことになる。

経営者というものは、まずは従業員を路頭に迷わせないために、また顧客のため、株主のため、さらには社会のために、何としても売り上げを確保し、利益を稼ぎ出すことに努めなければならない。また、そのためには、経営者はすさまじいくらいの気概を持って経営に当たらなければならないのである。

その気概とは、「闘魂」とも言い換えることができよう。「絶対に負けるものか」という格闘家の闘争心にも似た、激しい闘志が経営には必要不可欠である。

そんな闘魂を持っていない人が、経営者になることは、当人にとってかわいそうなことであり、従業員をはじめ、その企業を取り巻く関係者にとっては不幸なことである。「人生を面白おかしく、楽に生きていきたい」というような人は、経営者になってはいけない。

運命のいたずらで経営者となってしまったような人も、現実にはあろう。しかし、ひとたび経営者になった以上は、その意識を根本から改めなければならない。

塾生の中にも、たまたま二代目として生まれただけで経営者にまつり上げられたという人もいる。そのような二代目ならば、なおさらのこと、人が寝ている間も真剣に仕事のことを考えるという必死の姿勢がなければ、会社はいずれ左前になってしまう。

二代目が遊びほうけたり、経営者団体で他人様の世話にうつつを抜かしたりして、せっかく先代が大きくした会社を衰退させてしまうという例がよくある。会社を引き継いだ以上は、誰にも負けない努力を重ねていかなければならない。

そのような経営者の果てしない努力の源泉は、先ほども述べたように、従業員を路頭に迷わせないために、またその幸せを実現したいがために、「会社をこうしたい」という、経営者としての強い思いである。そのような強い思いがあればこそ、昼夜問わず、経営に打ち込める。

仕事のことを朝から晩まで考え続けることは、大変な重労働である。しかし経営者である限り、それくらい仕事のことを考え詰めるようでなければ、年々歳々厳しくなる経営環境の中、会社を成長発展させることはできない。

しかし逆に言えば、いかにビジネス環境が変化しようとも、そのように強烈な願望を抱き、誰にも負けない努力を続けていけば、必ず成功することができるはずである。ただ注意しなければならないのは、先に述べたように、その成功の原因が没落の原因ともなってしまうということである。

すさまじい闘争心の持ち主で、強烈な願望を抱き、誰にも負けない努力を続けていける人であればこそ、心のコントロールを失った場合に、破滅に向かうことになってしまう。成功の原因が、没落の原因に転じてしまうのである。

事業を成功に導くことができる人というのは、やり手で闘魂もあり、競合会社など潰すくらいの気力を持っている。しかし、そういう激しい気質の持ち主だけに、得てして傲岸不遜に陥り、傍若無人に走り、それが失敗の原因となってしまうのである。

盛和塾の塾生には、まずはそのくらい闘争心を燃やして、必死に仕事をし、成功を収めることができる経営者であってほしい。しかし、そういう激しい経営者であればこそ、「人間として何が正しいのか」ということを常に自分に問い、正しいことを正しいままに貫いていくことで、その成功を長く持続するようにしなければならないのである。

燃えるような闘魂があり、「何としても会社を良くしていきたい」という思いが強い経営者こそ、「人間として何が正しいのか」という哲学を学ぶことが大切である。そうすることで、ともすれば軌道を外れがちな自らを戒めつつ、強烈な願望と強い意志を持って仕事を続けていくことができる。また、そうすれば、必ず成功を収めることができるばかりか、その成功を長く持続することができるに違いない。

志を持って自分を高め続ける

このように、盛和塾とは詰まるところ、企業経営を成功へと導き、それを長く持続させるための原理原則を学ぶところである。ただ、その原理原則が、世間一般の経営常識とは異なり、人間としての心の持ち方なのである。

「人生とはどのようなものなのか」「人生をいかに生きるべきか」ということを自分自身に問い、心を高めることに努める。またそのことを通じ、経営を伸ばしていく。たった一回しかない人生を、そのようにして、素晴らしい生き方と経営に努めることを通じて、従業員やその家族はもちろん、社会のため、世界のため、さらには地球のために貢献する。

それは「一隅《いちぐう》を照らす」ということであろう。たとえどんなに小さな企業でも構わない。その経営を通じ、世のため人のために尽くし、自分が生きている価値を、この地球上に足跡として残して死ぬべきだろうと、私は考えている。盛和塾で学ぶ、八〇〇〇名にならんとする中小中堅企業の経営者たちが、今日も、そのような志を持って、研鑽を重ね、心を高めることで、自らの事業や人生を豊かなものとし、さらにはその従業員たちが幸福であることをめざして、日々懸命に活動を続けている。

盛和塾の設立は、私が京セラの社長を務めていた現役であるばかりか、ちょうど現在のＫＤＤＩの前身に当たる第二電電を創業し、さらには稲盛財団も設立し、京都賞を開始しようとしたとき、まさに多忙を極めていた五〇歳頃に遡る。以来およそ三〇年、この盛和塾活動に粉骨砕身努めてきた。

それはひとえに、日本の企業の大半を占める中小企業の発展こそが、日本経済発展の原動力であると信じているからである。日本の企業の九九％以上を占める中小企業の活性化こそが、日本経済の発展につながる。それだけに、何としても彼らが健全な成長発展を遂げてほしいと考え、八〇歳を超えた今も、スケジュールの合間を縫って、世界各地の盛和塾に足を運び、若い塾生たちに経営のあり方を説いている。

4 フィロソフィで会社は甦る――日本航空再建に携わって

三つの大義

二〇一〇年二月、私は八〇歳を前にして、日本政府の要請を受け、倒産した日本航空(JAL)の会長に就任した。

これまで、京セラとKDDIという、二つの異なった業種の会社を創業し、両社合わせて売り上げ五兆円規模にまで成長発展させてきた経験はあった。しかし航空運輸事業についてはまったくの門外漢。そのため、JAL会長に就任することに、誰一人として賛成してくれる者はいなかった。「もうお歳なのだから、おやめになったほうがいいですよ」という助言をいただくばかりであった。

しかし、私はＪＡＬの再建には、三つの大きな意義、大義があると考えていた。

一点目は、日本経済への影響。

ＪＡＬは日本を代表する企業の一つである。そのＪＡＬが再建を果たせず、二次破綻でもすれば、日本経済に多大な影響を与える。一方、再建を成功させれば、「あのＪＡＬでさえ再建できたのだから、日本経済が再生できないはずはない」と、国民が自信を取り戻すきっかけになるだろうと考えた。

二点目は、ＪＡＬに残された社員たちの雇用を守ること。

再建を成功させるためには、残念ながら、一定の社員に職場を離れてもらう必要があった。しかし、二次破綻しようものなら、全員が職を失ってしまうことにもなる。何としても残った社員の雇用だけは守らなくてはならない、と考えた。

三点目は、国民、すなわち利用者の方々への責任。

もしＪＡＬが破綻してしまえば、日本国内での大手航空会社は一社だけとなり、競争原理が働かなくなってしまう。運賃は高止まりし、サービスも悪化してしまうだろう。それは決して国民のためにならない。公正な競争条件のもとで、複数の航空会社が切磋琢磨する中でこそ、利用者に対して、より安価でより良いサービスを提供できるはずである。

このような三つの大義があると考え、いわば義侠心のような思いが募り、身のほど知らずにも、会長としてＪＡＬ再建に全力を尽くそうと決意したのである。

幹部とリーダーの眼の色が変わった

しかし、私は航空運輸事業に関する経験や知識をまったく持ち合わせていない。私がＪＡＬ再建のために携えていったものは、自分でつくり上げた京セラの「原点」とも言うべき経営哲学「フィロソフィ」と、経営管理システム「アメーバ経営」だけだった。

そして、まずは「フィロソフィ」をＪＡＬの幹部や社員に説き、その意識改革を図るべく取り組んだ。なぜなら、品川にあるＪＡＬ本社で仕事をするようになってから、驚くような事態に何度も遭遇したからだ。

たとえば、「現在の経営実績はどうなっているのか」と幹部に尋ねても、なかなか数字が上がってこない。やっと出てきたかと思うと、数カ月前のデータで、しかも、極めてマクロなものばかり。さらに、誰がどの収益に責任を持っているのか、責任体制も明確ではない。

本社と現場、企画部門と現業部門、経営幹部と一般社員、ＪＡＬ本体と子会社がバラバラで一体感がなく、各々が勝手に判断し、経営トップは責任を回避しているようにさえ見えた。再建に向けて、一致団結して死に物狂いで頑張ろうという熱気も感じられなかった。

そこで私は、幹部の意識改革を図るため、「ＪＡＬが倒産したという事実を、素直に受け入れなければならない」と説くことから始めた。

会社更生法を申請した後も、ＪＡＬは通常通りの運航を続けていたため、幹部には、倒産したという実感さえ湧かなかったようだ。そこで私は、「倒産した事実を認め、なぜ倒産したのか、これまで何が問題だったのかを真摯に反省し、勇気を持って改革に取り組んでほしい」と、繰り返し説いたのである。さらに、そのような趣旨をしたためた手紙を、ＪＡＬグループの幹部社員全員に送りもした。

さらに、二〇一〇年六月より、経営幹部約五〇名を集め、一カ月間にわたり、徹底的にリーダー教育を行なった。リーダーとしてのあり方、経営をするために必要な考え方を、理解してもらいたかったからだ。

具体的には、「売上最大、経費最小」が経営の要諦であることや、リーダーは部下から尊敬されるような素晴らしい人間性を持つと同時に、立てた目標はどのような環境変化があっても達成しようとする、強い意志を持っていなければならない、ということなどを伝えた。それは、かねてから京セラやＫＤＤＩで私がことあるごとに説いてきた「フィロソフィ」、つまり経営の原理原則であった。

そのような「フィロソフィ」を学ぶリーダー教育を集中的に行ない、できる限り私自身も出席し、直接講義もした。さらには、講義終了後、彼らと一緒に酒を酌み交わし、議論を重ねた。

すると、当初、私の経営哲学である「フィロソフィ」に違和感を覚え、あまり乗り気でなかった幹部の眼の色が変わり、「フィロソフィ」への理解を深めるようになった。リーダーとしての意識もかなり高まってきた。同じ教育を受けた仲間として、幹部同士に強い一体感も生まれてきたようだ。また、多くの幹部が、「この素晴らしい教えを、自分のものにするだけでなく、部下にも伝えていきたい」と考えるようにもなった。

その結果、幹部たちの感想を伝え聞いた各職場のリーダーから、「同様の研修を受けたい」という要望が上がってきた。それに応えるため、幹部研修を収録したビデオを用いたリーダー向け研修も実施し、延べ約三〇〇〇人が受講した。

幹部やリーダーに対する教育が終了した七月からは、研修で学んだことを実際の経営に活かしてもらうために、「業績報告会」という月例会議を始めた。各部門のリーダー一〇〇名近くが集まり、三日間にわたり担当ごとに経営実績を発表してもらうようにした。具体的には、損益計算書の科目ごとに、計画と実績を発表し、差異がある場合はその理由を説明してもらい、必要に応じ、私から指導をするようにしている。

練り込んでつくられた新しい「企業理念」

このようにして、JALの幹部やリーダー層へ「フィロソフィ」が浸透していったのだが、二〇一〇年の七月からは、さらにその裾野を広げようと、一般社員への教育も始めた。

最前線でお客様と接する社員の意識が変わらなければ、会社は決して良くならない。そのため、私も現場に出かけ、一般社員に直接語りかけ、意識改革を促した。

空港のカウンターで受付業務をしている社員、飛行機に搭乗してお客様の世話をするキャビン・アテンダント、飛行機を操縦し安全に運航する機長・副操縦士、飛行機のメンテナンスに従事する整備の人たち。そのような現場の社員たちの職場を回り、どのような考え方を持ち、どのように仕事をしなければならないかということを、直接語りかけていった。

また、八月からは、二月の会長就任時の挨拶で述べた、「新しき計画の成就は只不屈不撓の一心にあり　さらばひたむきに只想え　気高く強く一筋に」という、ヨガの達人・中村天風さんの言葉を記したポスターを、各職場で掲示するようにした。

その意味するところは、会社更生計画を着実に実行するためには、どのような環境の変化があろうとも、それを言い訳にすることなく、一人ひとりの社員が当事者意識を持ち、目標達成に向けて、一心不乱に、必死の努力を続ける以外にないというものだ。

一方、毎月発刊している社内報も内容を大幅に変更し、経営状況を詳細に掲載するようにしていった。現場の社員にも、ＪＡＬの経営状態がどうなっているのか、自分たちの会社がどのように変わろうとしているのかを、明確に知ることができるようにしたのである。

またその頃から、社長を中心に幹部が集まり、私の考え方などを参考にして議論を重ね、新生ＪＡＬの「企業理念」を定め、二〇一一年一月、全社に発表をした。

また、その「企業理念」策定と同時に、理念を実現するために全社員が持つべき考え方、判断基準として、四〇項目にわたる「ＪＡＬフィロソフィ」もまとめられた。

その作成に当たっては、各部門から選抜された幹部十数名が二〇回近く会合を重ね、さらにはそれでも足りずに休日にも集まり、徹底的に議論を繰り返したと聞いている。また、幹部の検討結果を検証するため、現場スタッフを中心とした一般社員一三〇名へのヒアリングも実施したようだ。

その「ＪＡＬフィロソフィ」は、社員たちが常に携帯し、参照できるよう、手帳サイズに編纂された。そして、これも二〇一一年一月に、全グループ社員に配布された。

現在、各職場において、朝礼などで輪読を重ねているようだが、この「ＪＡＬフィロソフィ」をベースに、JAL全社の考え方のベクトルが揃いつつあるように感じている。今後、いかに経営体制が変わろうとも、誤りのない経営を進めていくことができるだろう。

お客様からの感動のメッセージ

このような経営哲学の共有に向けた取り組みは、一人ひとりのJAL社員の意識を変えている。その結果、経営体質が強化され、再建がより確かなものになってきた。JALはその規模ではなく、社員の意識のレベルの高さにおいて、世界を代表するような素晴らしい企業に変貌しつつある。

航空運輸事業とは、高額の航空機材やその運航に必要な設備を多数所有しているため、巨大な「装置産業」と思われがちだ。確かにそのような一面も持っているが、私は、究極的には「サービス産業」だと位置づけている。

たとえば、お客様が空港に来られたとき、受付カウンターでどのような対応をするか、飛行機に搭乗されたとき、キャビン・アテンダントがどういう接遇をするか、さらには機長がどのような機内アナウンスをするかによって、航空会社の真価が問われるのではないかと思うのだ。

つまり、ＪＡＬで働く社員が、搭乗されたお客様に対して心から感謝し、その思いと喜びを、言葉と態度で示していく。それこそが、航空運輸事業にとって一番大事なことだろう。

直接お客様と接する社員の行動こそが、航空会社の評価を左右し、その盛衰を決定することになる。「『また、ＪＡＬに乗ってみよう』と思っていただけるような仕事を心がけてほしい。そのような雰囲気の会社に変えてもらいたい」。そう切々と社員に訴えた。

会長就任前、実は私はＪＡＬが嫌いだった。日本を代表するナショナルフラッグキャリアという自負心ゆえかもしれないが、傲慢さ、横柄さ、プライドの高さが鼻につき、お客様をないがしろにするようなこともあった。実際に、かつてはＪＡＬに搭乗されていたお客様の中に、不快な思いをされて、別の航空会社を選ばれるというケースが増えていたようだった。

そのような鼻持ちならない会社、職場、社員であったＪＡＬが、「フィロソフィ」を通じて、意識改革を図るうちに、徐々に変化を遂げてきたのである。

現場の最前線に立って、懸命に働いてくれている社員たちが、私が訴えてきたことを理解し、それぞれの持ち場や立場で、懸命に仕事に取り組んでくれるようになっていったのだ。また、ＪＡＬという会社を心から愛し、お客様にも「ＪＡＬを好きになってほしい」という素朴な気持ちを抱き、真摯に接し始めている。

すると最近では、お客様から称賛の手紙を数多く頂戴するようになった。特に、昨年の東日本大震災に際し、ＪＡＬの社員一人ひとりが航空運輸事業の原点に立ち返り、お客様のため、本当に素晴らしい仕事をしてくれた。

たとえば、機内に長時間閉じ込められたお客様に、炊き立てのおにぎりをつくり、提供したキャビン・アテンダント。ラウンジに閉じ込められたお客様の体調を気遣い、ポケットマネーでチョコレートを買ってあげたモスクワ支店の社員。被災地に向かう日本赤十字の救援スタッフたちに、心温まる慰労のアナウンスを行ない、機内に感動の渦をもたらした機長。さらには、その被災地に向かう救護スタッフの荷物を預かり、さり気なく、労《ねぎら》いと励ましのメモをしのばせたキャビン・アテンダント。

そのようなＪＡＬの社員の心温まる接遇を受けて、多くのお客様から感動の声を寄せていただいた。その中から一つだけを紹介したい。それは、福島県に住む母親が関西へ避難するに当たり、たまたま乗り合わせた、神戸へ向かう非番のＪＡＬキャビン・アテンダントに、ぜひお礼を伝えたいというメッセージだった。

ライフラインがすべて止まり、川の水を汲み、ひっきりなしに続く余震と原発の恐怖で眠れぬ生活を送る母を心配し、我々子供が住む関西へ呼び寄せました。ところが朝、茨城空港を出発するはずの某社便が被爆危険を理由に急遽欠航。家へ戻る交通手段がない中、途方に暮れる七〇歳近い母を無事に関西まで送り届けてくださったのが、御社の客室乗務員の方でした。

ご実家の神戸に帰る途中の彼女は、計画停電で電車が止まるなど混乱する中、機転を利かし、茨城空港から、つくば→成田空港→伊丹空港へと、母を無事送り届けてくださいました。

途中、要所要所で我々子供たちへ報告をくださったり、緊張する母を労《いたわ》り、いろいろと話を優しく聞いてくださったり……かと思えば、混乱するバス停で並ばず、横入りする輩《やから》たちに、毅然と注意されていたと、母が感心しておりました。

お礼を申し上げたいので住所を教えてくださいとお願いしても、「私は何もしてませんし、私こそお母様と過ごせて楽しかった。こういうことは、回ってくるものですし……私も人から助けていただいてます」と。

もしかしたら、乗客の安全を日常的に訓練されている客室乗務員にとっては、普通の行為なのかもしれません。でも、高齢の母の体を案じ、体温を下げぬよう、水分を取るよう、そして気持ちを和《やわ》らげるよう、かつ、家族にまで気配りを忘れぬ行動は、もし自分だったら……と思いますと、到底できぬことです。

また、長く会社員を勤めましたが、自分の育てた部下や後輩たちが、有事に、彼女のような行動をとれるかと考えると、そうした教育を施した自信はありません。そう考えますと、その客室乗務員の方はもちろん、彼女の先輩・上司の方々の素晴らしいマネジメントにも深く感謝です。

こうしたご時世ですから、骨身を尽くして働かれても、ご苦労が絶えぬのではないかと想像いたします。ですが、このたびのことを通じて、私たちも微力ながら御社を応援し続けたいと感じ入りました。いつか乗客として、またその客室乗務員の方の思いやりに触れる機会を得られることを願いつつ、お礼を伝えていただければ幸いです。

このようなお便りを多数いただき、私は深い感動に包まれた。そして、このような感動を呼び起こす社員たちの行動の源泉に、「フィロソフィ」、つまり経営哲学があると再認識したのである。

経験も知識も、そして勝算もなく、まさに徒手空拳でＪＡＬの再建に乗り込んでいった私。わずかに持っていったものは、経営哲学「フィロソフィ」と、経営管理システム「アメーバ経営」だけだった。

その「フィロソフィ」の一端を理解してもらうだけでも、社員の意識が劇的な変化を遂げ、その行動が素晴らしいものになっていった。さらには、その社員の意識改革に伴って、会社の業績も飛躍的に向上していくことになった。

二〇一一年三月に終了した新生ＪＡＬの初年度の業績は、売り上げ一兆三六二二億円、営業利益は、会社更正計画で通期目標として掲げていた六四一億円をはるかに上回る一八八四億円となり、ＪＡＬ創設以来、最高の実績で終わることができた。この利益額は、世界にあまたある航空会社の中で最高のものである。

続く年度（二〇一二年三月期）も、東日本大震災の影響を受けた大幅な旅客の減少から、四月は大きく落ち込み、赤字となったものの、五月以降、V字回復を遂げ、売り上げ一兆二〇四八億円、営業利益二〇四九億円、利益率一七％を達成した。

社員の意識が良い方向に変われば、自ずから会社の業績も向上していく。ＪＡＬの再建は、まだ終わったわけではないが、これまでの実績は、私が常日頃から述べている、「心を高める、経営を伸ばす」という経営の要諦を証明する、格好の事例となったものと考えている。

管理会計システムの運用を開始

ＪＡＬの再建は完全に軌道に乗った。そして、さらに盤石な経営とするため、二〇一一年四月、私が持ってきたもう一つのものである管理会計システムの運用を開始した。

経営者には、経営実態をできる限りリアルタイムに理解して、最も適切な舵取りをすることが求められる。つまり、売り上げ、経費等、会社の計数を、月次はもちろん、できれば日次で見えるようにして、その数字をベースに経営を行なわねばならないのである。

そこで私は、ＪＡＬにおいても、航空運輸事業の収益源である、各路線の採算がほぼリアルタイムに分かるような管理会計システムの運用を始めた。

具体的には、すべての路便別の収支が、翌朝には分かるような仕組みをつくった。同時に路線別の経営責任者を明確に定めた。今後、その責任者が中心となり、各路線の収益性を高めるため、創意工夫を重ねていけるようにしたい。

また、整備や空港カウンターなどの部門においては、組織をできるだけ小集団に分け、経費を細かく管理できるように図っている。経費の明細を全員で共有し、「少しでも無駄はないか」「もっと効率的な方法はないか」など、衆知を集め、全員で経営改善に取り組むことをめざすのだ。

これは、私が考案し、京セラやＫＤＤＩの経営で実践し、また日本国内だけで、すでに四〇〇社ほどで採用されている、「アメーバ経営」という管理会計システムをベースにしたものだ。

この「アメーバ経営」をベースとした部門別採算管理システムの導入を通じ、さらなる経営改善に努めることで、再建三年目（二〇一三年三月期）も、予想を上回る業績を上げつつある。そして、秋（二〇一二年）には、東京証券取引所第一部に再上場を果たし、再建をほぼ完了する予定にしている。

私は、すでに二年続きの好決算をもって、代表権のある会長から代表権のない名誉会長へと、経営の第一線から身を引いている。今後は取締役名誉会長として、ＪＡＬの若手幹部を、真の経営幹部に育てるべく、その育成に努め、来年（二〇一三年）の三月ないしは六月には、ＪＡＬを退こうと考えている。

企業体質を一変した新生ＪＡＬ。今後、いかなる試練があろうとも、日本のナショナルフラッグキャリアとして、天高く翔《かけ》続けることであろう。

PHP
Business Shinsho

稲盛和夫（いなもり・かずお）
1932年、鹿児島生まれ。鹿児島大学工学部卒業。59年、京都セラミック株式会社（現京セラ）を設立。社長、会長を経て、97年より名誉会長を務める。また84年には第二電電（現KDDI）を設立、会長に就任。2001年より最高顧問。2010年日本航空会長就任。2012年より取締役名誉会長。一方、84年には稲盛財団を設立すると同時に「京都賞」を創設。「盛和塾」の塾長として、経営者の育成に心血を注ぐ。
主な著書に、『［新装版］心を高める、経営を伸ばす』『成功への情熱―PASSION―』『稲盛和夫の哲学』『こうして会社を強くする』（以上、PHP研究所）、『稲盛和夫の実学』（日本経済新聞出版社）、『君の思いは必ず実現する』（財界研究所）、『生き方』（サンマーク出版）、『人生の王道』（日経BP社）、『「成功」と「失敗」の法則』（致知出版社）、『働き方』（三笠書房）、『ど真剣に生きる』（NHK出版）がある。
稲盛和夫オフィシャルホームページ
http://www.kyocera.co.jp/inamori

PHPビジネス新書 246

新版・敬天愛人
ゼロからの挑戦

2012年11月1日　第1版第1刷発行
2022年9月27日　第1版第11刷発行

著者　稲盛和夫
発行者　永田貴之
発行所　株式会社PHP研究所
東京本部　〒135-8137　江東区豊洲5-6-52
第二制作部　☎03-3520-9619（編集）
普及部　☎03-3520-9630（販売）
京都本部　〒601-8411　京都市南区西九条北ノ内町11
PHP INTERFACE　https://www.php.co.jp/
装幀　齋藤稔
装幀写真　神崎順一
口絵写真　小畑章
制作協力・組版　有限会社メディアネット
印刷所　株式会社光邦
製本所　東京美術紙工協業組合

ISBN978-4-569-80289-3

「ＰＨＰビジネス新書」発刊にあたって

わからないことがあったら「インターネット」で何でも一発で調べられる時代。本という形でビジネスの知識を提供することに何の意味があるのか……その一つの答えとして「**血の通った実務書**」というコンセプトを提案させていただくのが本シリーズです。

経営知識やスキルといった、誰が語っても同じに思えるものでも、ビジネス界の第一線で活躍する人の語る言葉には、独特の迫力があります。そんな、「**現場を知る人が本音で語る**」知識を、ビジネスのあらゆる分野においてご提供していきたいと思っております。

本シリーズのシンボルマークは、理屈よりも実用性を重んじた古代ローマ人のイメージです。彼らが残した知識のように、本書の内容が永きにわたって皆様のビジネスのお役に立ち続けることを願っております。

二〇〇六年四月

ＰＨＰ研究所

写真で見る
稲盛和夫の経営

1959年、創業の年に譲り受けた西郷南洲の臨書。今も著者の執務室に掲げられている。敬天愛人とは西郷隆盛が唱えた言葉。天は道理であり、道理を守ることが敬天の意味であり、人は皆自分の同胞であり、仁の心をもって衆を愛することが愛人の意味である。京セラの社是でもある。

1950年代

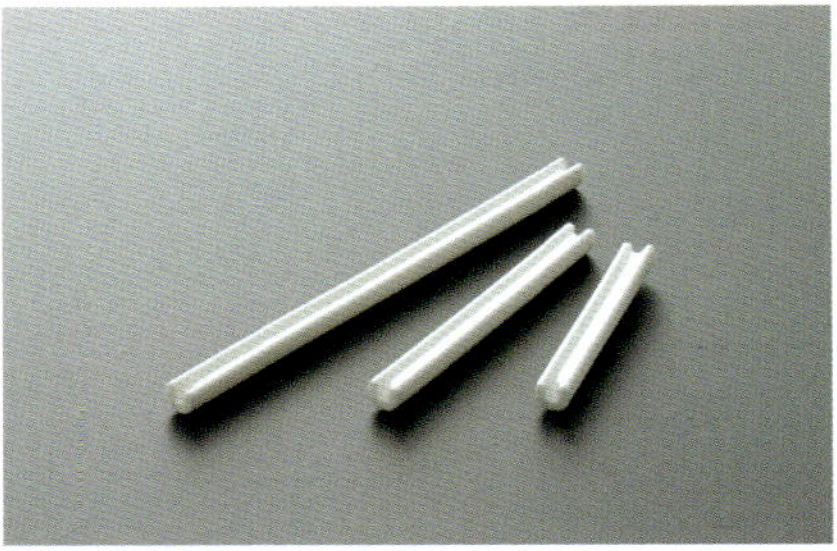

1956年、松風工業にてU字ケルシマを日本で初めて量産化。テレビのブラウン管の電子銃を構成する絶縁部品である。

1959年、京都セラミックを創業。松風工業から独立した者を中心とする8名の幹部と、新入社員20名の計28名で創業した（写真後列左から6人目が著者）。
※この写真は白黒写真に着色し、当時の色彩を再現したものです。

1960年代

1963年、初の自前工場滋賀工場が竣工。1966年には、滋賀工場に本社機能を移転。写真は滋賀工場での初荷式。

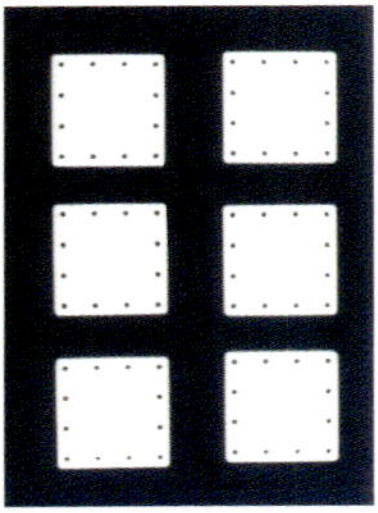

1966年、IBMより受注したIC用サブストレート。京セラ発展の原動力となった（写真左）。IBMの戦略商品「システム／360」に採用された（写真右）。

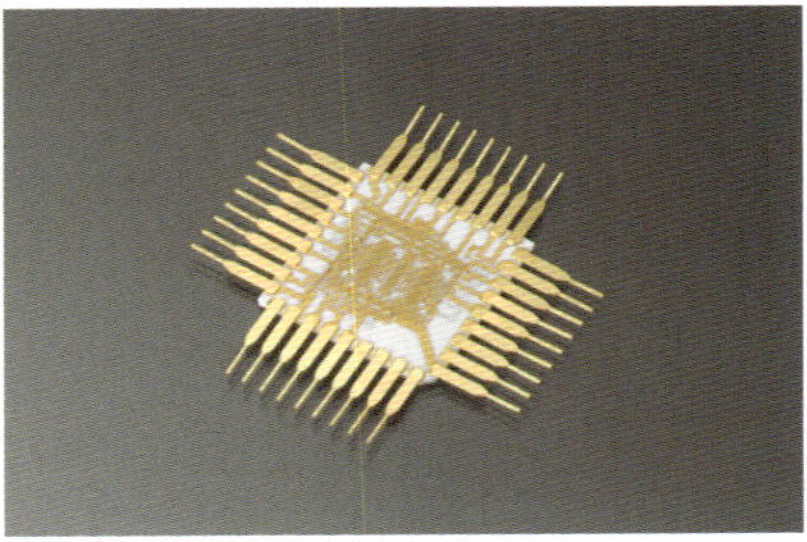

1969年、フェアチャイルド社より受注したマルチレイヤーパッケージ。京セラの発展にとって、エポックメーキングな製品となった。

1970年代

1972年、「大規模集積回路用セラミック多層パッケージの開発」により、第18回大河内記念生産特賞を受賞。

1972年、京都市山科区に本社社屋が竣工。現在、本社は伏見区に移転している。

1976年、ニューヨーク証券取引所にてADRを発行。

1980年代

1984年、第二電電企画株式会社を設立、会長に就任（左より、千本倖生専務、森山信吾社長、牛尾治朗ウシオ電機会長、飯田亮セコム会長、著者、真藤恒電電公社総裁、盛田昭夫ソニー会長の各氏）。

1984年、財団法人稲盛財団を設立。国際賞「京都賞」を創設し、毎年11月に京都で授賞式を開催している。写真は第27回（2011年）授賞式の様子（提供：稲盛財団）。

1990年代

1990年、世界的なコンデンサメーカーであるAVXグループを買収(写真左は当時AVXの代表であったバトラー氏)。

1998年、現本社ビルに移転。「人と環境に優しい機能的なインテリジェントビル」をテーマとし、南側壁面と屋上に京セラ製太陽電池パネルが1896枚設置された。

1998年、会社更生法の適用を申請した、三田工業の支援を決定。2000年、京セラミタ（現京セラドキュメントソリューションズ）が発足。

2000年代

2000年、第二電電、KDD、日本移動通信が合併し、KDDI発足（著者は右から2人目）。

2010年、日本航空会長に就任し、再建にあたる（中央が著者）。

近年の活動

2004年、恵まれない子供たちのために、児童養護施設・乳児院「京都大和の家」を設立。著者も折に触れ足を運ぶ。

「人は何のために生きるのか」と題し、自らの人生と経営で得た考え方と生き方を語る無料の「市民フォーラム」を開催。盛和塾生が手弁当で運営にあたり、のべ40回開催され、累積約67,000名が聴講している（2012年7月現在）。写真は2012年の福井市での市民フォーラム。